は　じ　め　に

技能検定は、労働者の有する技能を一定の基準によって検定し、これを公証する国家検定制度であり、技能に対する社会一般の評価を高め、働く人々の技能と地位の向上を図ることを目的として、職業能力開発促進法に基づいて1959年（昭和34年）から実施されています。

当研究会では、1975年（昭和50年）から技能検定試験受検者の学習に資するため、過去に出題された学科試験問題（１・２級）に解説を付して、「学科試験問題解説集」を発行しております。

このたびさらに、令和３・４・５年度に出題された学科試験問題、ならびに令和５年度の実技試験問題を「技能検定試験問題集（正解表付き）」として発行することになりました。

本問題集が１級・２級の技能士を目指して技能検定試験を受検される多くの方々にご利用いただき、大きな成果が上がることを祈念いたします。

令和６年４月

一般社団法人 雇用問題研究会

目　　次

技能検定の概要

1　技能検定試験の等級区分

技能検定試験は合格に必要な技能の程度を等級ごとに次のとおりに区分しています。

特　　級：検定職種ごとの管理者又は監督者が通常有すべき技能及びこれに関する知識の程度

１　　級：検定職種ごとの上級の技能労働者が通常有すべき技能及びこれに関する知識の程度

２　　級：検定職種ごとの中級の技能労働者が通常有すべき技能及びこれに関する知識の程度

３　　級：検定職種ごとの初級の技能労働者が通常有すべき技能及びこれに関する知識の程度

単一等級：検定職種ごとの上級の技能労働者が通常有すべき技能及びこれに関する知識の程度

※これらの他に外国人実習生等を対象とした基礎級があります。

2　検定試験の基準

技能検定は、実技試験及び学科試験によって行われています。

実技試験は、実際に作業などを行わせて、その技量の程度を検定する試験であり、学科試験は、技能の裏付けとなる知識について行う試験です。

実技試験及び学科試験は、検定職種の等級ごとに、それぞれの試験科目及びその範囲が職業能力開発促進法施行規則により、また、その具体的な細目が厚生労働省人材開発統括官通知により定められています。

⑴　実技試験

実技試験は、実際に作業（物の製作、組立て、調整など）を行わせて試験する、製作等作業試験が中心となっており、検定職種の大部分のものについては、その課題が試験日に先立って公表されています。

試験時間は、１級、２級及び単一等級については原則として５時間以内、３級については３時間以内が標準となっています。

また、検定職種によっては、製作等作業試験の他、実際的な能力を試験するため、次のような判断等試験又は計画立案等作業試験が併用されることがあります。

① 判断等試験

判断等試験は、製作等作業試験のみでは技能評価が困難な場合又は検定職種の性格や試験実施技術等の事情により製作等作業試験の実施が困難な場合に用いられるもので、例えば技能者として体得していなければならない基本的な技能について、原材料、模型、写真などを受検者に提示し、判別、判断などを行わせ、その技能を評価する試験です。

② 計画立案等作業試験

製作等作業試験、判断等試験の一方又は双方でも技能評価が不足する場合に用いられるもので、現場における実際的、応用的な課題を、表、グラフ、文章などにより設問したものを受検者に提示し、計算、計画立案、予測などを行わせることにより技能の程度を評価する試験です。

(2) 学科試験

学科試験は、単に学問的な知識を試験するものではなく、作業の遂行に必要な正しい判断力及び知識の有無を判定することに主眼がおかれています。また、それぞれの等級における試験の概要は次表のとおりです。

この中で、真偽法は一つの問題文の正誤を解答する形式であり、五肢択一法及び四肢択一法は一つの問題文について複数の選択肢の中から一つを選択して解答する形式です。

■学科試験の概要

等級区分	試験の形式	問題数	試験時間
特　　級	五肢択一法	50 題	2 時間
1　　級	真偽法及び四肢択一法	50 題	1 時間 40 分
2　　級	真偽法及び四肢択一法	50 題	1 時間 40 分
3　　級	真偽法	30 題	1 時間
単一等級	真偽法及び四肢択一法	50 題	1 時間 40 分

3　技能検定の受検資格

技能検定を受検するには、原則として検定職種に関する実務の経験が必要で、その年数は職業訓練歴、学歴等により異なっています（別表 1 参照）。

この実務の経験の範囲には、現場での作業のみならず管理、監督、訓練、教育及び研究の業務や訓練又は教育を受けた期間が含まれます。

4　試験の実施日程

技能検定試験は職種ごとに前期、後期に分かれていますが、日程の概要は次のとおりです。

項	前　期	後　期
受付期間	4月上旬～中旬	10月上旬～中旬
実技試験	6月上旬～9月上旬 9月中旬～11月中旬※	12月上旬～翌年2月中旬
学科試験	8月下旬～9月上旬の日曜日 3級は7月上旬～中旬の日曜日	翌年1月下旬～2月上旬の日曜日
合格発表	10月上旬、3級は8月下旬 10月中旬～11月下旬※	翌年3月中旬

※暑熱対応のため延期する場合（造園職種・とび職種に限る）

・日程の詳細については都道府県職業能力開発協会(連絡先等は別表2参照）にお問い合わせ下さい。

5　技能検定の実施体制

技能検定は厚生労働大臣が定めた、実施計画に基づいて行うものですが、その実施業務は、厚生労働大臣、都道府県知事、中央職業能力開発協会、都道府県職業能力開発協会等の間で分担されており、受検の受付及び試験の実施については、都道府県職業能力開発協会が行っています。

6　技能検定試験受検手数料

技能検定試験の受検手数料は「実技試験：18,200円」及び「学科試験：3,100円」を標準額として、職種ごとに各都道府県で決定しています（令和6年4月1日現在、都道府県知事が実施する111職種)。

なお、25歳未満の在職者の方は、2級又は3級の実技試験の受検手数料が最大9,000円減額されます。詳しくは都道府県職業能力開発協会にお問い合わせ下さい。

7　技能検定の合格者

技能検定の合格者には、厚生労働大臣名（特級、1級、単一等級）又は都道府県知事名等（2級、3級）の合格証明が交付され、技能士と称することができます。

別表１

技能検定の受検に必要な実務経験年数一覧

（都道府県知事が実施する検定職種）

（単位：年）

<table>
<tr><th colspan="2" rowspan="2">受　検　対　象　者
（※１）</th><th>特級</th><th colspan="3">１　　級</th><th colspan="2">２　　級</th><th rowspan="2">３
級
（※６）</th><th rowspan="2">基礎級
（※６）</th><th rowspan="2">単一等級</th></tr>
<tr><th>１　級
合格後</th><th></th><th>２　級
合格後</th><th>３　級
合格後</th><th>（※６）</th><th>３　級
合格後</th></tr>
<tr><td colspan="2">実務経験のみ</td><td rowspan="15">5</td><td>7</td><td rowspan="10">2</td><td rowspan="10">4</td><td>2</td><td rowspan="13">0</td><td>0 ※7</td><td>0 ※7</td><td>3</td></tr>
<tr><td colspan="2">専門高校卒業　※２
専修学校（大学入学資格付与課程に限る）卒業</td><td>6</td><td>0</td><td>0</td><td>0</td><td>1</td></tr>
<tr><td colspan="2">短大・高専・高校専攻科卒業　※２
専門職大学前期課程修了
専修学校（大学編入資格付与課程に限る）卒業</td><td>5</td><td>0</td><td>0</td><td>0</td><td>0</td></tr>
<tr><td colspan="2">大学卒業（専門職大学前期課程修了者を除く）　※２
専修学校（大学院入学資格付与課程に限る）卒業</td><td>4</td><td>0</td><td>0</td><td>0</td><td>0</td></tr>
<tr><td rowspan="3">専修学校　※３
又は各種学校卒業
（厚生労働大臣が指定したものに限る。）</td><td>800 時間以上</td><td>6</td><td>0</td><td>0 ※8</td><td>0 ※8</td><td>1</td></tr>
<tr><td>1600 時間以上</td><td>5</td><td>0</td><td>0 ※8</td><td>0 ※8</td><td>1</td></tr>
<tr><td>3200 時間以上</td><td>4</td><td>0</td><td>0 ※8</td><td>0 ※8</td><td>0</td></tr>
<tr><td>短期課程の普通職業訓練修了 ※４ ※９</td><td>700 時間以上</td><td>6</td><td>0</td><td>0 ※5</td><td>0 ※5</td><td>1</td></tr>
<tr><td rowspan="2">普通課程の普通職業訓練修了 ※４ ※９</td><td>2800 時間未満</td><td>5</td><td>0</td><td>0</td><td>0</td><td>1</td></tr>
<tr><td>2800 時間以上</td><td>4</td><td>0</td><td>0</td><td>0</td><td>0</td></tr>
<tr><td colspan="2">専門課程又は特定専門課程の高度職業訓練修了 ※4 ※9</td><td>3</td><td>1</td><td>2</td><td>0</td><td>0</td><td>0</td><td>0</td></tr>
<tr><td colspan="2">応用課程又は特定応用課程の高度職業訓練修了 ※9</td><td colspan="3">1</td><td>0</td><td>0</td><td>0</td><td>0</td></tr>
<tr><td colspan="2">指導員養成課程の指導員養成訓練修了 ※9</td><td colspan="3">1</td><td>0</td><td>0</td><td>0</td><td>0</td></tr>
<tr><td colspan="2">職業訓練指導員免許取得</td><td colspan="3">1</td><td>—</td><td>—</td><td>—</td><td>—</td><td>0</td></tr>
<tr><td colspan="2">高度養成課程の指導員養成訓練修了 ※9</td><td colspan="3">0</td><td>0</td><td>0</td><td>0</td><td>0</td><td>0</td></tr>
</table>

※１：検定職種に関する学科、訓練科又は免許職種に限る。

※２：学校教育法による大学、短期大学又は高等学校と同等以上と認められる外国の学校又は他法令学校を卒業した者並びに独立行政法人大学改革支援・学位授与機構により学士の学位を授与された者は学校教育法に基づくそれぞれのものに準ずる。

※３：大学入学資格付与課程、大学編入資格付与課程及び大学院入学資格付与課程の専修学校を除く。

※４：職業訓練法の一部を改正する法律（昭和 53 年法律第 40 号）の施行前に、改正前の職業訓練法に基づく高等訓練課程又は特別高等訓練課程の養成訓練を修了した者は、それぞれ改正後の職業能力開発促進法に基づく普通課程の普通職業訓練又は専門課程の高度職業訓練を修了したものとみなす。また、職業能力開発促進法の一部を改正する法律（平成４年法律第 67 号）の施行前に、改正前の職業能力開発促進法に基づく専門課程の養成訓練を修了した者は、専門課程の高度職業訓練を修了したものとみなし、改正前の職業能力開発促進法に基づく普通課程の養成訓練又は職業転換課程の能力再開発訓練（いずれも 800 時間以上のものに限る。）を修了した者はそれぞれ改正後の職業能力開発促進法に基づく普通課程又は短期課程の普通職業訓練を修了したものとみなす。

※５：総訓練時間が 700 時間未満のものを含む。

※６：３級（前期又は後期の期間にかかわらず随時実施するものは除く。）の技能検定については、上記のほか、検定職種に関する学科に在学する者及び検定職種に関する訓練科において職業訓練を受けている者等も受検できる。また、工業高等学校に在学する者等であって、かつ、工業高等学校の教員等による検定職種に係る講習を受講し、当該講習の責任者から技能検定試験受検に際して安全衛生上の問題等がないと判定されたものも受検できる。また、基礎級の技能検定については技能実習生のみが、３級（前期又は後期の期間にかかわらず随時実施するものに限る。）は基礎級（旧基礎１級及び基礎２級を含む）に合格した者のみが、２級（前期又は後期の期間にかかわらず随時実施するものに限る。）は基礎級（旧基礎１級及び基礎２級を含む）及び当該検定職種に係る３級の実技試験に合格した者のみが、受検できる。

※７：検定職種に関し実務の経験を有する者について、受検資格を認めることとする。

※８：当該学校が厚生労働大臣の指定を受けたものであるか否かに関わらず、受検資格を付与する。

※９：職業能力開発促進法第 92 条に規定する職業訓練又は指導員訓練に準ずる訓練の修了者においても、修了した職業訓練又は指導員訓練の訓練課程に応じ、受検資格を付与する。

別表2　**都道府県及び中央職業能力開発協会所在地一覧**

（令和６年４月現在）

協　会　名	郵便番号	所　在　地	電話番号
北海道職業能力開発協会	003-0005	札幌市白石区東札幌５条1-1-2　北海道立職業能力開発支援センター内	011-825-2386
青森県職業能力開発協会	030-0122	青森市大字野尻字今田43-1　青森県立青森高等技術専門校内	017-738-5561
岩手県職業能力開発協会	028-3615	紫波郡矢巾町大字南矢幅10-3-1　岩手県立産業技術短期大学校内	019-613-4620
宮城県職業能力開発協会	981-0916	仙台市青葉区青葉町16-1	022-271-9917
秋田県職業能力開発協会	010-1601	秋田市向浜1-2-1　秋田県職業訓練センター内	018-862-3510
山形県職業能力開発協会	990-2473	山形市松栄2-2-1　県立山形職業能力開発専門校内３階	023-644-8562
福島県職業能力開発協会	960-8043	福島市中町8-2　福島県自治会館５階	024-525-8681
茨城県職業能力開発協会	310-0005	水戸市水府町864-4　茨城県職業人材育成センター内	029-221-8647
栃木県職業能力開発協会	320-0032	宇都宮市昭和1-3-10　栃木県庁舎西別館	028-643-7002
群馬県職業能力開発協会	372-0801	伊勢崎市宮子町1211-1	0270-23-7761
埼玉県職業能力開発協会	330-0074	さいたま市浦和区北浦和5-6-5　埼玉県浦和合同庁舎５階	048-829-2802
千葉県職業能力開発協会	261-0026	千葉市美浜区幕張西4-1-10	043-296-1150
東京都職業能力開発協会	101-8527	千代田区内神田1-1-5　東京都産業労働局神田庁舎５階	03-6631-6052
神奈川県職業能力開発協会	231-0026	横浜市中区寿町1-4　かながわ労働プラザ６階	045-633-5419
新潟県職業能力開発協会	950-0965	新潟市中央区新光町15-2　新潟県公社総合ビル４階	025-283-2155
富山県職業能力開発協会	930-0094	富山市安住町7-18　安住町第一生命ビル２階	076-432-9887
石川県職業能力開発協会	920-0862	金沢市芳斉1-15-15　石川県職業能力開発プラザ３階	076-262-9020
福井県職業能力開発協会	910-0003	福井市松本3-16-10　福井県職員会館ビル４階	0776-27-6360
山梨県職業能力開発協会	400-0055	甲府市大津町2130-2	055-243-4916
長野県職業能力開発協会	380-0836	長野市大字南長野南県町688-2　長野県婦人会館３階	026-234-9050
岐阜県職業能力開発協会	509-0109	各務原市テクノプラザ1-18　岐阜県人材開発支援センター内	058-260-8686
静岡県職業能力開発協会	424-0881	静岡市清水区楠160	054-345-9377
愛知県職業能力開発協会	451-0035	名古屋市西区浅間2-3-14　愛知県職業訓練会館内	052-524-2034
三重県職業能力開発協会	514-0004	津市栄町1-954　三重県栄町庁舎４階	059-228-2732
滋賀県職業能力開発協会	520-0865	大津市南郷5-2-14	077-533-0850
京都府職業能力開発協会	612-8416	京都市伏見区竹田流池町121-3　京都府立京都高等技術専門校２階	075-642-5075
大阪府職業能力開発協会	550-0011	大阪市西区阿波座2-1-1　大阪本町西第一ビルディング６階	06-6534-7510
兵庫県職業能力開発協会	650-0011	神戸市中央区下山手通6-3-30　兵庫勤労福祉センター１階	078-371-2091
奈良県職業能力開発協会	630-8213	奈良市登大路町38-1　奈良県中小企業会館２階	0742-24-4127
和歌山県職業能力開発協会	640-8272	和歌山市砂山南3-3-38　和歌山技能センター内	073-425-4555
鳥取県職業能力開発協会	680-0845	鳥取市富安2-159　久本ビル５階	0857-22-3494
島根県職業能力開発協会	690-0048	松江市西嫁島1-4-5　SPビル２階	0852-23-1755
岡山県職業能力開発協会	700-0824	岡山市北区内山下2-3-10　アマノビル３階	086-225-1547
広島県職業能力開発協会	730-0052	広島市中区千田町3-7-47　広島県情報プラザ５階	082-245-4020
山口県職業能力開発協会	753-0051	山口市旭通り2-9-19　山口建設ビル３階	083-922-8646
徳島県職業能力開発協会	770-8006	徳島市新浜町1-1-7	088-663-2316
香川県職業能力開発協会	761-8031	高松市郷東町587-1　地域職業訓練センター内	087-882-2854
愛媛県職業能力開発協会	791-8057	松山市大可賀2-1-28　アイテムえひめ内	089-993-7301
高知県職業能力開発協会	781-5101	高知市布師田3992-4	088-846-2300
福岡県職業能力開発協会	813-0044	福岡市東区千早5-3-1　福岡人材開発センター２階	092-671-1238
佐賀県職業能力開発協会	840-0814	佐賀市成章町1-15	0952-24-6408
長崎県職業能力開発協会	851-2127	西彼杵郡長与町高田郷547-21	095-894-9971
熊本県職業能力開発協会	861-2202	上益城郡益城町田原2081-10　電子応用機械技術研究所内	096-285-5818
大分県職業能力開発協会	870-1141	大分市大字下宗方字古川1035-1　大分職業訓練センター内	097-542-3651
宮崎県職業能力開発協会	889-2155	宮崎市学園木花台西2-4-3	0985-58-1570
鹿児島県職業能力開発協会	892-0836	鹿児島市錦江町9-14	099-226-3240
沖縄県職業能力開発協会	900-0036	那覇市西3-14-1	098-862-4278
中央職業能力開発協会	160-8327	新宿区西新宿7-5-25　西新宿プライムスクエア11階	03-6758-2859

とび

実技試験問題

令和５年度技能検定
２級とび（とび作業）実技試験問題

次の注意事項に従って、課題１及び課題２を行いなさい。

1　試験時間

課題番号	1	2
標準時間	1時間30分	
打切り時間	1時間50分	5分

2　注意事項

(1) 支給された材料の品名、数量等が、「3　課題1」の「(3)　支給材料」のとおりであることを確認すること。

(2) 支給された材料に異常がある場合は、申し出ること。

(3) 試験開始後は、原則として、支給材料の再支給をしない。ただし、クランプ不良の場合は、交換する。

(4) 支給材料以外の材料は、一切使用しないこと。

(5) 使用工具等は、使用工具等一覧表で指定した以外のものを使用しないこと。また、インパクトレンチは、解体時のみ使用すること。

(6) 試験中は、工具等の貸し借りを禁止とする。

なお、持参した工具等の予備を使用する場合は、技能検定委員の確認を受けること。

(7) 作業時の服装等は、安全性、かつ、作業に適したもので、作業服は、長そで、長ズボンとすること。(手袋、墜落制止用器具、保護帽及び作業靴を含む。)

なお、作業時の服装等が著しく不適切であり、受検者の安全管理上、重大なけが・事故につながる等試験を受けさせることが適切でないと技能検定委員が判断した場合、試験を中止(失格)とする場合がある。

(8) 標準時間を超えて作業を行った場合は、超過時間に応じて減点される。

(9) 作業が終了したら、技能検定委員に申し出ること。

(10) 「4　課題２（重量物目測)」の解答用紙には、受検番号及び氏名を記入すること。

(11) 試験中は、試験問題以外の用紙にメモをしたものや参考書等を参照することは禁止とする。

(12) 試験中は、携帯電話、スマートフォン、ウェアラブル端末等の使用(電卓機能の使用を含む。)を禁止とする。

(13) 工具・材料等の取扱い、作業方法について、そのまま継続するとけが、落下などを招くおそれがあり危険であると技能検定委員が判断した場合、試験中にその旨を注意することがある。

さらに、当該注意を受けてもなお危険な行為を続けた場合、技能検定委員全員の判断により試験を中止し、かつ失格とする。ただし、緊急性を伴うと判断された場合は、注意を挟まず即中止(失格)とすることがある。

3　課題１　(片流れ小屋組組立て)

次の注意事項及び仕様に従って、3ページに示す片流れ小屋組を単管を使用して組み立てなさい。*

⑴ 注意事項

イ　作業終了の意思表示をする時期は、仮つなぎ、とびつき、仮ひうち、仮柱等を取り外して、整理整とんをした時点とすること。

ロ　登りばり及び上弦材等の上部への取付け作業は、とびつきを設けて行い、高所作業として扱って、墜落制止用器具を使用すること。原則として、墜落制止用器具のフックは、腰よりも上部に取り付けること。

ハ　仮つなぎ、とびつき、仮ひうち及び仮柱は、必ず取り付けて作業を行うこと。ただし、図面上にとびつき、仮ひうち及び仮柱の設置例を示しているが、どこに設けるかは自由とする。

ニ　木製敷板の配置及び柱位置の割り出しの時間は、試験時間に含まれる。

⑵ 仕様

イ　寸法は、平面図、正面図、断面図及び部分詳細図に示すとおりとすること。

ロ　柱の根元は、ベース金具を木製敷板にくぎで対角４箇所止めによって固定すること。ただし、仮柱を除く。

　また、柱の固定は、仮つなぎなどをとって行うこと。

ハ　陸ばり及びけたは、柱の外側に取り付けること。

ニ　斜材及び方づえは、力学的にみて有効なところに取り付けること。

ホ　登りばりの上部は、上弦材の上端で柱に取り付けること。

ヘ　登りばりの下部は、けたの上端で柱に取り付けること。

ト　下弦材は、両端とも陸ばりの上端で柱に取り付けること。

チ　柱及び柱と方づえの取合い部を除く各部材の出寸法は、交わる部材の中心線の交点から次のとおりとする。

　　部材の径の1.1～1.5倍程度

リ　基準柱は、正面から見て左側とすること。

ヌ　単管の緊結には、クランプを使用すること。

　また、各部材が直交する箇所の緊結には、直交クランプを使用すること。

＊本書ではP.14

Ａ３判を45%に縮小してあります

単位:mm

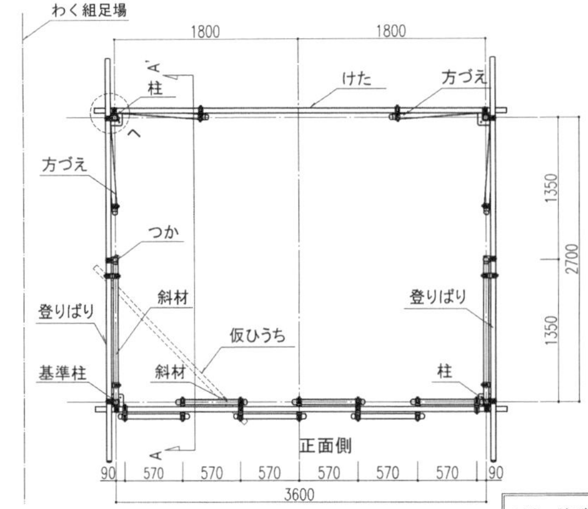

平 面 図

けた、陸ばり及び下弦材より上の部分の取付けは、とびつきに乗って行うこと。

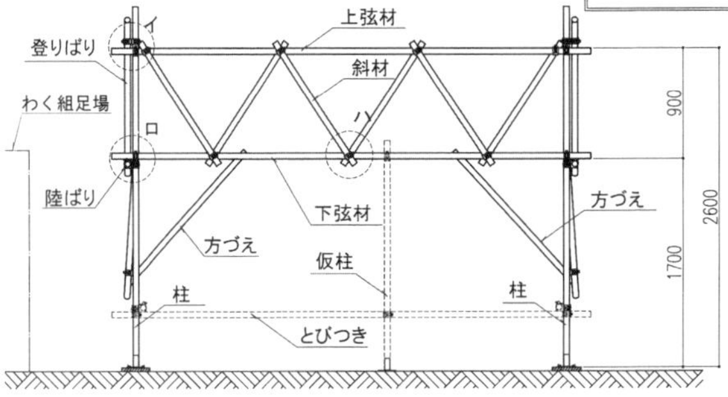

正 面 図

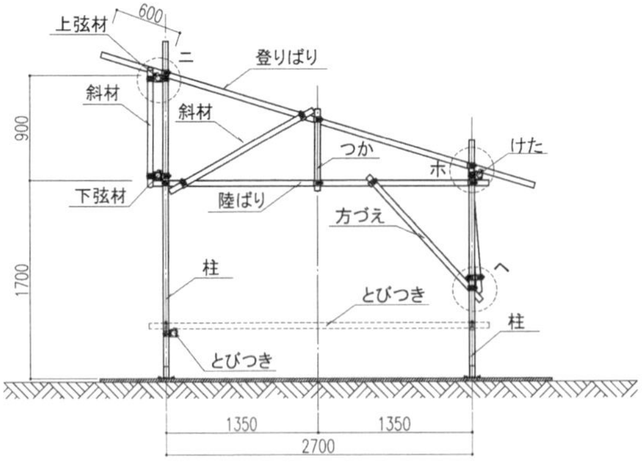

A－A' 断 面 図

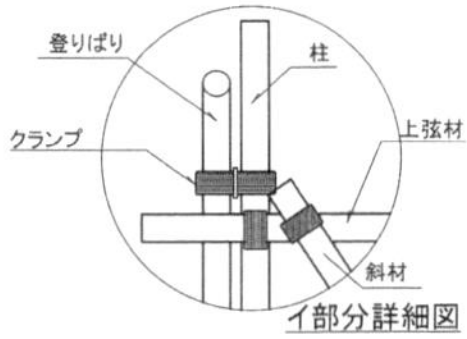

イ部分詳細図

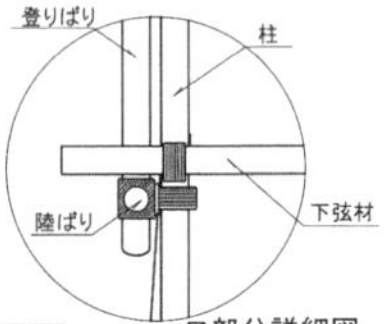

ロ部分詳細図

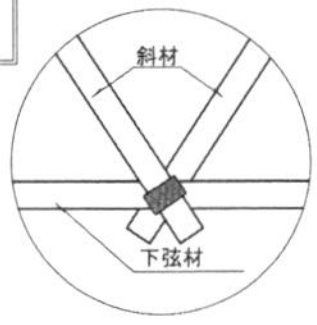

ハ部分詳細図

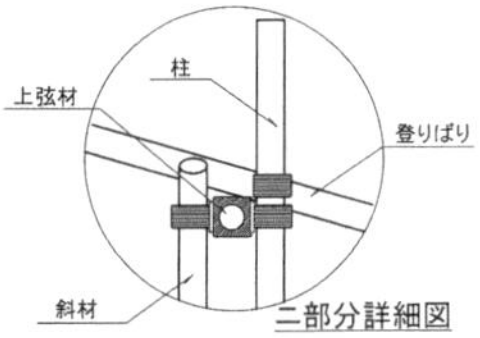

ニ部分詳細図

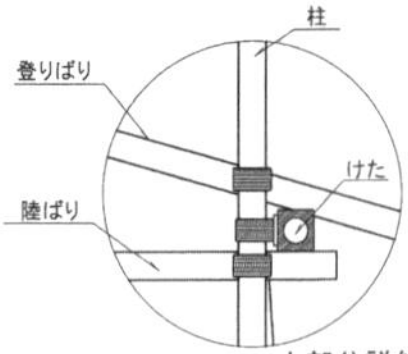

ホ部分詳細図

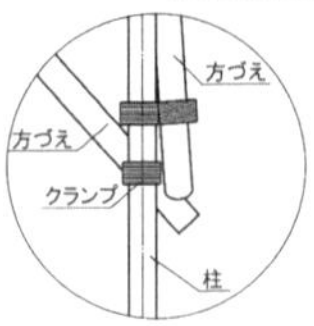

ヘ部分詳細図

(3) 支給材料

品名	寸法又は規格	数量
木製敷板	長さ3～4m	2枚
ベース金具		5個(仮柱用も含む)
柱	単管　長さ　3.0m	2本
柱	単管　長さ　2.0m	2本
仮柱	単管　長さ　2.0m	1本
陸ばり	単管　長さ　3.0m	2本
けた	単管　長さ　4.0m	1本
つか	単管　長さ　70cm	2本
上弦材	単管　長さ　4.0m	1本
下弦材	単管　長さ　4.0m	1本
登りばり	単管　長さ　3.6～4.0m	2本
斜材	単管　長さ　1.5m	2本
斜材	単管　長さ　1.2m	6本
方づえ	単管　長さ　1.5m	4本
とびつき用	単管　長さ　4.0m	1本
とびつき用	単管　長さ　3.0m	2本
仮ひうち用	単管　長さ　2.4～2.7m	1本
仮つなぎ 又は仮筋かい	単管　長さ　1.8～2.0m	2本
※直交クランプ		24個
※自在クランプ		24個
3連自在クランプ		5個
くぎ	60～65mm	16本

※図面のとおりに仕上がるクランプを使用すること。

4　課題２　(重量物目測)

次の注意事項に従って、重量物の目測を行いなさい。

(1)　注意事項

イ　目測を行う重量物は、３種類であること。

ロ　目測を行った質量値は、当日提示される解答用紙に記入し、技能検定委員に提出すること。

なお、この解答用紙には、必ず受検番号及び氏名を記入すること。

ハ　他の受検者との会話は、厳禁とする。

ニ　鋼製スケール(コンベックスルール)等の計測器具は使用しないこと。

2級とび(とび作業)実技試験使用工具等一覧表

1　受検者が持参するもの

品　　名	寸法又は規格	数　量	備　　考
折り尺又は鋼製スケール		1	
ラチェットスパナ	ひもつきのもの※	1	
金づち		1	くぎ抜き付可
かじや(バール)	40cm程度のもの	適宜	
インパクトレンチ		1	解体時のみ使用 同等品も可
作業に適した作業服等	長そで、長ズボンのもの	一式	
手袋		1組	
墜落制止用器具	フルハーネス型又は 胴ベルト型(1本つり)	1	
保護帽		1	
作業靴	安全靴又は安全地下たび	1	
筆記用具		1	課題2の記入用
飲料		適宜	熱中症対策、水分補給用

(注) 使用工具等は、上記のものに限るが、同一種類のものを予備として持参することは差し支えない。

なお、「飲料」については、受検者が各自で、熱中症対策、水分補給用として持参すること。

また、※については、落下防止措置のあるものであればひもでなくてもよい。

2　試験場に準備されているもの(片流れ小屋組組立て用)

数量は、特にことわりがない場合は、受検者1名当たりの数量とする。

品　　名	寸法又は規格	数　量	備　　考
チョーク		1	
すなわ等		1	
つり袋	つり下げ型、布製バケツ等	1区画につき1袋	

令和５年度技能検定
１級とび（とび作業）実技試験問題

次の注意事項に従って、課題１、課題２及び課題３を行いなさい。

１　試験時間

課題番号	1	2	3
標準時間	1時間30分		
打切り時間	1時間50分	10分	5分

２　注意事項

(1) 支給された材料の品名、数量等が、「３　課題１」の「(3)　支給材料」のとおりであることを確認すること。

(2) 支給された材料に異常がある場合は、申し出ること。

(3) 試験開始後は、原則として、支給材料の再支給をしない。ただし、クランプ不良の場合は、交換する。

(4) 支給材料以外の材料は、一切使用しないこと。

(5) 使用工具等は、使用工具等一覧表で指定した以外のものを使用しないこと。また、インパクトレンチは、解体時のみ使用すること。

(6) 試験中は、工具等の貸し借りを禁止とする。
なお、持参した工具等の予備を使用する場合は、技能検定委員の確認を受けること。

(7) 作業時の服装等は、安全性、かつ、作業に適したもので、作業服は、長そで、長ズボンとすること。(手袋、墜落制止用器具、保護帽及び作業靴を含む。)
なお、作業時の服装等が著しく不適切であり、受検者の安全管理上、重大なけが・事故につながる等試験を受けさせることが適切でないと技能検定委員が判断した場合、試験を中止(失格)とする場合がある。

(8) 標準時間を超えて作業を行った場合は、超過時間に応じて減点される。

(9) 作業が終了したら、技能検定委員に申し出ること。

(10) 「５　課題３（重量物目測)」の解答用紙には、受検番号及び氏名を記入すること。

(11) 試験中は、試験問題以外の用紙にメモをしたものや参考書等を参照することは禁止とする。

(12) 試験中は、携帯電話、スマートフォン、ウェアラブル端末等の使用(電卓機能の使用を含む。)を禁止とする。

(13) 工具・材料等の取扱い、作業方法について、そのまま継続するとけが、落下などを招くおそれがあり危険であると技能検定委員が判断した場合、試験中にその旨を注意することがある。
さらに、当該注意を受けてもなお危険な行為を続けた場合、技能検定委員全員の判断により試験を中止し、かつ失格とする。ただし、緊急性を伴うと判断された場合は、注意を挟まず即中止(失格)とすることがある。

3　課題1　(真づか小屋組組立て)

次の注意事項及び仕様に従って、3ページに示す真づか小屋組を単管を使用して組み立てなさい。*

(1) 注意事項

イ　作業終了の意思表示をする時期は、仮つなぎ、とびつき、仮ひうち、仮柱等を取り外して、整理整とんをした時点とすること。

ロ　むな木及びつか等の上部への取付け作業は、とびつきを設けて行い、高所作業として扱って、墜落制止用器具を使用すること。原則として、墜落制止用器具のフックは、腰よりも上部に取り付けること。

ハ　仮つなぎ、とびつき、仮ひうち及び仮柱は、必ず取り付けて作業を行うこと。ただし、図面上にとびつき、仮ひうち及び仮柱の設置例を示しているが、どこに設けるかは自由とする。

ニ　仮つなぎ材などは、支給材料を一時転用すること。

ホ　木製敷板の配置及び柱位置の割り出しの時間は、試験時間に含まれる。

(2) 仕様

イ　寸法は、平面図、断面図及び部分詳細図に示すとおりとすること。

ロ　柱の根元は、ベース金具を木製敷板にくぎで対角4箇所止めによって固定すること。ただし、仮柱を除く。

また、柱の固定は、仮つなぎなどをとって行うこと。

ハ　陸ばり及びけたは、柱の外側に取り付けること。

ニ　斜材及び方づえは、力学的にみて有効なところに取り付けること。

ホ　合掌は、むな木の上部に取り付けるものとし、合掌の取合い部は、突き付けとすること。

ヘ　合掌の下部は、けたの上端で柱に取り付けること。

ト　けたは、陸ばりの上端で柱に取り付けること。

チ　柱及び柱と方づえの取合い部を除く各部材の出寸法は、交わる部材の中心線の交点から次のとおりとする。

部材の径の1.1～1.5倍程度

リ　基準柱は、正面から見て左側とすること。

ヌ　単管の緊結には、クランプを使用すること。

また、各部材が直交する箇所の緊結には、直交クランプを使用すること。

＊本書ではP.20

A３判を45%に縮小してあります

単位:mm

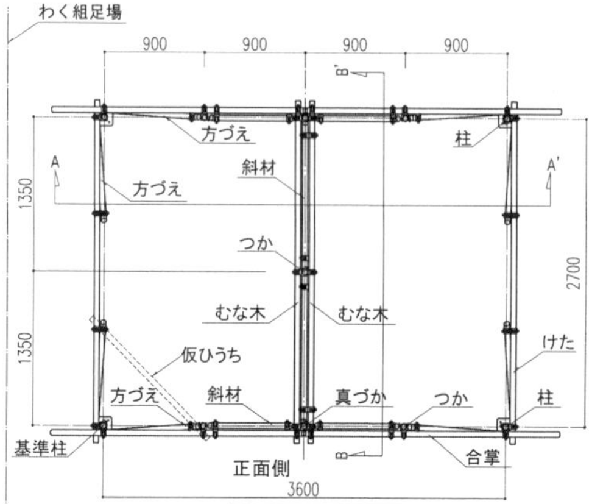

平 面 図

けた、陸ばり及びつなぎ材より上の部分の取付けは、とびつきに乗って行うこと。

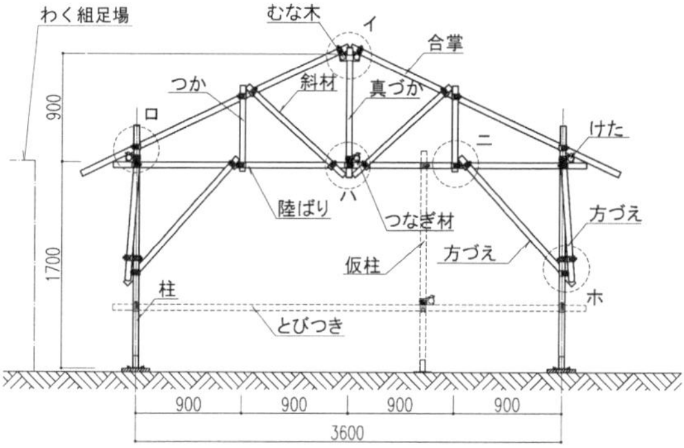

A－A' 断 面 図

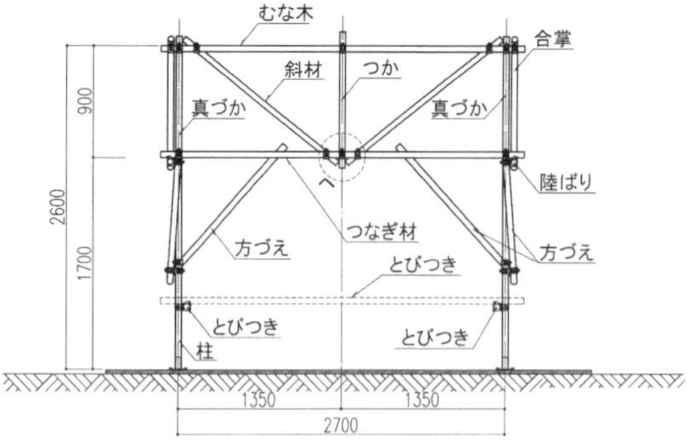

B－B' 断 面 図

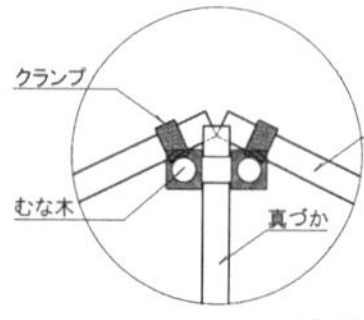

イ部分詳細図

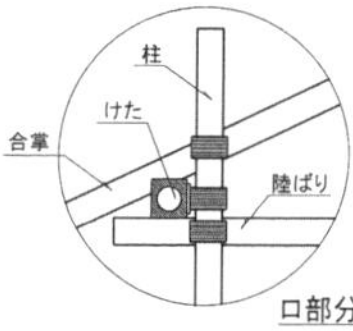

ロ部分詳細図

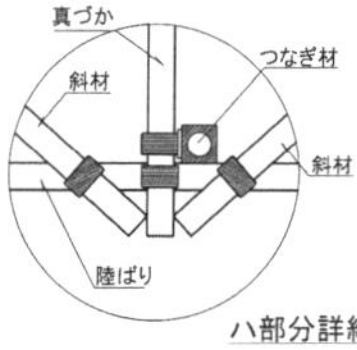

ハ部分詳細図

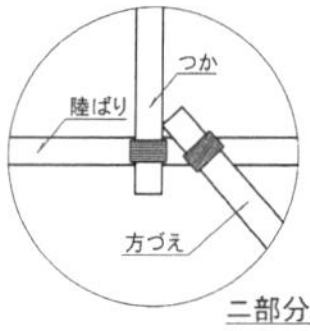

ニ部分詳細図

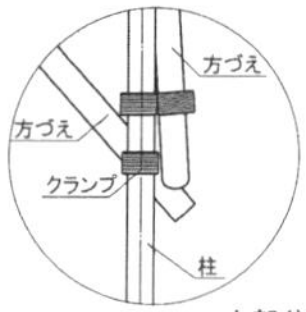

ホ部分詳細図

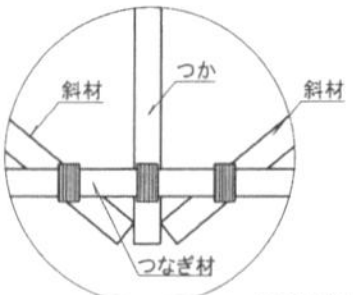

ヘ部分詳細図

(3) 支給材料

品　　名	寸法又は規格	数　量
木製敷板	長さ3～4m	2枚
ベース金具		6個(仮柱用も含む)
柱	単管　長さ 2.0m	4本
仮柱	単管　長さ 1.8～2.0m	2本
陸ばり	単管　長さ 4.0m	2本
けた	単管　長さ 3.0m	2本
つか	単管　長さ 1.1m	3本
つか	単管　長さ 70cm	4本
むな木	単管　長さ 3.0m	2本
合掌	単管　長さ 2.4～2.5m	4本
方づえ	単管　長さ 1.5m	8本
つなぎ材	単管　長さ 3.0m	1本
斜材	単管　長さ 1.6m	2本
斜材	単管　長さ 1.1m	4本
とびつき用	単管　長さ 4.0m	2本
とびつき用	単管　長さ 3.0m	1本
仮ひうち用	単管　長さ 2.0m	1本
※直交クランプ		31個
※自在クランプ		38個
3連直交クランプ		3個
くぎ	60～65mm	16本

※図面のとおりに仕上がるクランプを使用すること。

4　課題２　(重量物運搬)

次の注意事項に従って、そり(こした)にのせた質量 1000kg 程度の重量物を所定位置まで運搬しなさい。

(1) 注意事項

イ　運搬距離は、道板に沿って約 8m であること。

ロ　道板に沿ってころを操作し、てこを使用して運搬すること。

5　課題３　(重量物目測)

次の注意事項に従って、重量物の目測を行いなさい。

(1) 注意事項

イ　目測を行う重量物は、3 種類であること。

ロ　目測を行った質量値は、当日提示される解答用紙に記入し、技能検定委員に提出すること。なお、この解答用紙には、必ず受検番号及び氏名を記入すること。

ハ　他の受検者との会話は、厳禁とする。

ニ　鋼製スケール(コンベックスルール)等の計測器具は使用しないこと。

1級とび(とび作業)実技試験使用工具等一覧表

1　受検者が持参するもの

品　　名	寸法又は規格	数　量	備　　考
折り尺又は鋼製スケール		1	
ラチェットスパナ	ひもつきのもの※	1	
金づち		1	くぎ抜き付可
かじや(バール)	40cm程度のもの	適宜	
インパクトレンチ		1	解体時のみ使用 同等品も可
作業に適した作業服等	長そで、長ズボンのもの	一式	
手袋		1組	
墜落制止用器具	フルハーネス型又は 胴ベルト型(1本つり)	1	
保護帽		1	
作業靴	安全靴又は安全地下たび	1	
筆記用具		1	課題3の記入用
飲料		適宜	熱中症対策、水分補給用

(注) 使用工具等は、上記のものに限るが、同一種類のものを予備として持参することは差し支えない。

なお、「飲料」については、受検者が各自で、熱中症対策、水分補給用として持参すること。

また、※については、落下防止措置のあるものであればひもでなくてもよい。

2　試験場に準備されているもの

数量は、特にことわりがない場合は、受検者1名当たりの数量とする。

(1) 真づか小屋組組立て用

品　　名	寸法又は規格	数　量	備　　考
チョーク		1	
すなわ等		1	
つり袋	つり下げ型、布製バケツ等	1区画につき1袋	

(2) 重量物運搬用

品　　名	寸法又は規格	数　量	備　　考
ころ	外径75mm程度、長さ1.2m程度の鋼管	1設備につき4	
てこ	長さ1.8m程度の丸太又は鋼管	1設備につき1	
大ハンマ		1設備につき1	

とび

学科試験問題

令和５年度 技能検定
２級 とび 学科試験問題
（とび作業）

1. 試験時間　1時間 40 分
2. 問題数　50 題(A 群 25 題、B 群 25 題)
3. 注意事項

(1)　係員の指示があるまで、この表紙はあけないでください。

(2)　答案用紙(真偽法と多肢択一法の併用)に検定職種名、作業名、級別、受検番号、氏名を必ず記入してください。

(3)　係員の指示に従って、問題数を確かめてください。それらに異常がある場合は、黙って手を挙げてください。問題は A 群(真偽法)と B 群(多肢択一法)とに分かれています。

(4)　試験開始の合図で始めてください。

(5)　解答の方法(真偽法と多肢択一法の併用)は次のとおりです。

イ．　A 群の問題(真偽法)は、一つ一つの問題の内容が正しいか、誤っているかを判断して解答してください。

ロ．　B 群の問題(多肢択一法)は、正解と思うものを一つだけ選んで、解答してください。二つ以上に解答した場合は誤答となります。

ハ．　答案用紙(マークシート用紙)へ解答する際は、答案用紙に記載されている注意事項に従ってください。

ニ．　答案用紙の解答欄は、A 群の問題と B 群の問題とでは異なります。所定の解答欄に、試験問題の題数に応じて解答してください。解答欄は A 群は 50 題まで、B 群は 25 題まで解答できるようになっています。

(6)　電子式卓上計算機その他これと同等の機能を有するものは、使用してはいけません。

(7)　携帯電話、スマートフォン、ウェアラブル端末等は、使用してはいけません。

(8)　試験中、質問があるときは、黙って手を挙げてください。ただし、試験問題の内容、漢字の読み方等に関する質問にはお答えできません。

(9)　試験終了時刻前に解答ができあがった場合は、黙って手を挙げて、係員の指示に従ってください。

(10)　試験中に手洗いに立ちたいときは、黙って手を挙げて、係員の指示に従ってください。

(11)　試験終了の合図があったら、筆記用具を置き、係員の指示に従ってください。

［A群（真偽法）］

1　防護棚(養生朝顔)の突出し長さは、水平距離で足場の外側から1mにするとよい。

2　労働安全衛生法関係法令によれば、単管足場にあっては、建地間の積載荷重は、400kgを限度とすることと規定されている。

3　高さ30mの単管足場では、建地を補強する(2本組とする)必要はない。

4　土止め(土留め)壁際の地盤に材料等の重量物を置くと、土圧は増加する。

5　堅固な地盤では、割栗地業を省略できることがある。

6　高力ボルト(ハイテンションボルト)を締め付ける力は、強ければ強いほどよい。

7　玉掛け作業において、つり荷の重量は、少なめに目測するとよい。

8　コンクリート工作物の解体などに使用する圧砕機は、垂直たたきにも適している。

9　コンクリートガラは、再生骨材として使用されることがある。

10　荷をつり上げる場合、荷の重心の位置が低いほど、つり荷が安定する。

11　労働安全衛生法関係法令によれば、クレーン、移動式クレーン又はデリックの玉掛け用ワイヤロープは、安全係数が6以上のものでなければ使用してはならないとされている。

12　レベルは、距離測定や面積測定にも使用される測量機器である。

13　木材を電動丸のこで切断する場合、安全カバーを固定した状態で作業を行うとよい。

14　ローリングタワーは、人を搭乗させたまま移動させてはならない。

15　ジブクレーンのつり上げ能力は、ジブの傾斜角度とは関係ない。

16　建築図面において、寸法の単位には、一般に、センチメートルが用いられる。

17　荷をつり上げる場合は、定滑車1個を使用すると、半分の力でつり上げることができる。

18　ターンバックルは、鉄骨造の建入れ直しにも使用される。

［A群（真偽法）］

19　コンクリートの中性化とは、経年によりコンクリートのアルカリ性が失われることをいう。

20　労働安全衛生法関係法令によれば、土止め(土留め)支保工の圧縮材(火打ちを除く。)の継手は、突合わせ継手としなければならない。

21　鉄骨造は、略してSRC造とも呼ばれる。

22　建築基準法関係法令によれば、コンクリートは、不燃材料ではない。

23　建築基準法関係法令によれば、学校や体育館は、特殊建築物に含まれない。

24　労働安全衛生法関係法令によれば、移動式クレーンの運転者は、荷をつったままで運転位置を離れてはならないと規定されている。

25　熱中症対策として熱への順化を行う場合、高温多湿の作業場所にて長時間作業を行うとよい。

［B群（多肢択一法）］

1　足場に関する記述として、適切なものはどれか。

イ　つり足場の上で簡単な作業を行う場合は、脚立やはしご等を使用してもよい。

ロ　単管足場の壁つなぎの間隔は、一般に、わく組足場の場合よりも広くしなければならない。

ハ　単管足場の地上第一の布を取り付ける場合は、布の高さに応じてとびつきを取り付けて作業を行った方がよい。

ニ　本足場とは、丸太足場のことで、鋼管で組んだ足場は含まれない。

2　山止め(山留め)壁オープンカット工法(切ばり工法)に関する記述として、適切でないものはどれか。

イ　地盤条件や掘削深さによる制限が少ない。

ロ　切ばりの種類には、鋼製切ばり及び鉄筋コンクリート製切ばりがある。

ハ　法面を形成するためのスペースが必要となる。

ニ　切ばり支柱があるため、本体建築物などに開口補修が必要となる。

3　文中の(　　)内に当てはまる数値として、適切なものはどれか。

公共建築工事標準仕様書によれば、木工事において、くぎの長さは、原則として、打ち付ける板厚の(　　)倍以上とすることと規定されている。

イ　2.5

ロ　2.0

ハ　1.5

ニ　1.0

4　次の鉄筋コンクリート製部材の断面図において、鉄筋に対するコンクリートのかぶり厚さを示す寸法表示として、適切なものはどれか。

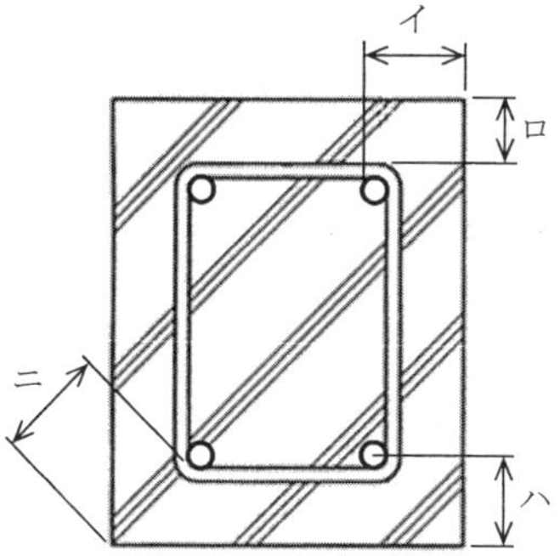

［B群（多肢択一法）］

5　荷の運搬作業に関する記述として、適切なものはどれか。

イ　つり荷の下に作業者等が立ち入ってはならない。

ロ　つり荷を水平移動させる場合は、原則として、床上1mの高さを保つ。

ハ　つり荷の上に人を乗せて運搬してもよい。

ニ　荷のつり上げは、玉掛け作業者が荷から離れる前に行う。

6　高さ5m以上のコンクリート造工作物の解体又は破壊の作業に関する記述として、適切でないものはどれか。

イ　作業に使用する器具や工具等を上げ下ろしするときは、つり綱、つり袋などを使用する。

ロ　強風、大雨、大雪等の悪天候のため作業の実施について危険が予想されるときは、作業を中止する。

ハ　作業中に周囲の安全が確認できれば保護帽を着用しなくてもよい。

ニ　外壁の引き倒しをするときは、一定の合図を定め、この合図を関係労働者に周知させる。

7　次の機械を使用する解体方法のうち、一般に、最も騒音の大きい機械はどれか。

イ　大型ブレーカー

ロ　圧砕機

ハ　ワイヤソー

ニ　油圧孔拡大機

8　下図の玉掛け方法の呼び方として、適切なものはどれか。

イ　半掛け

ロ　目通し(しぼり)

ハ　あだ巻き

ニ　あや掛け

9　ワイヤロープに関する記述として、適切でないものはどれか。

イ　ワイヤロープのよりの方向には、ZよりとSよりの2種類がある。

ロ　台付け用ワイヤロープは、玉掛け用として使用してよい。

ハ　ワイヤロープの端部アイ(蛇口)の種類には、かご差し、クリップ止め、圧縮止め等がある。

ニ　巻き上げ用ワイヤロープは、ウインチドラムの径が小さいほどロープの寿命が短くなる。

［B群（多肢択一法）］

10　文中の(　　)内に当てはまる語句として、適切なものはどれか。

(　　)は、鉄骨工事において、部材の接合部で両部材のボルト穴を合わせるのに用いる工具である。

イ　しの

ロ　ドリフトピン(ボルシン)

ハ　かけや

ニ　バール

11　クレーンに関する記述として、適切でないものはどれか。

イ　タワークレーンには、水平式と起伏式がある。

ロ　アウトリガーは、トラッククレーン等の安定装置である。

ハ　鉄骨平屋建倉庫の建方には、移動式クレーンが適している。

ニ　タワークレーンは、短期間の工事に適している。

12　一般的な建築施工図に用いる略記号のうち、Cが表す部位として、正しいものはどれか。

イ　大ばり

ロ　小ばり

ハ　柱

ニ　壁

13　文中の(　　)内に当てはまる語句として、適切なものはどれか。

クレーン等で荷をつって旋回している時、急に旋回を止めると荷が大きく振れるのは、主に(　　)が作用するためである。

イ　摩擦力

ロ　慣性力

ハ　重力

ニ　応力

14　型わく構成材料に関する記述として、適切でないものはどれか。

イ　パイプサポートは、せき板を所定の間隔に保つために用いられるものである。

ロ　せき板の種類には、木製、金属製、プラスチック製などがある。

ハ　スペーサとは、鉄筋などに所定のかぶり厚さを与えたり、型わくなどとの間隔を適切に保持するためのものである。

ニ　フォームタイは、型わくの締付け金物の一つである。

［B群（多肢択一法)］

15　文中の(　　)内に当てはまる数値として、適切なものはどれか。

労働安全衛生法関係法令によれば、架設通路において、墜落の危険のある箇所には、高さ(　　)cm以上の手すり又はこれと同等の機能を有する設備を設けなければならない。

イ　65

ロ　70

ハ　75

ニ　85

16　コンクリートの特徴として、一般に、適切でないものはどれか。

イ　圧縮強度が大きい。

ロ　成形が容易である。

ハ　ひび割れが生じにくい。

ニ　耐久性に優れる。

17　コンクリートのスランプ値が表すものとして、正しいものはどれか。

イ　コンクリートの軟らかさ

ロ　水の量

ハ　セメントの量

ニ　水セメント比

18　建設現場における仮設物に関する記述として、適切でないものはどれか。

イ　防護構台とは、道路・通路あるいは歩道上などで、工事現場より資材落下のおそれがある場合、車両や歩行者を保護するために設けるものをいう。

ロ　下小屋とは、建築物などを覆い、雨天時でも工事を可能とするために設けるものをいう。

ハ　乗入れ構台とは、地盤掘削などの工事を行う際に、関係機械車両の走行や資材などの仮置きなどに使用されるものをいう。

ニ　荷受け構台とは、資材や廃棄物などを搬出入するために設けるものをいう。

［B群（多肢択一法）］

19　次の土止め(土留め)支保工の組立て図において、切りばりを示しているものはどれか。

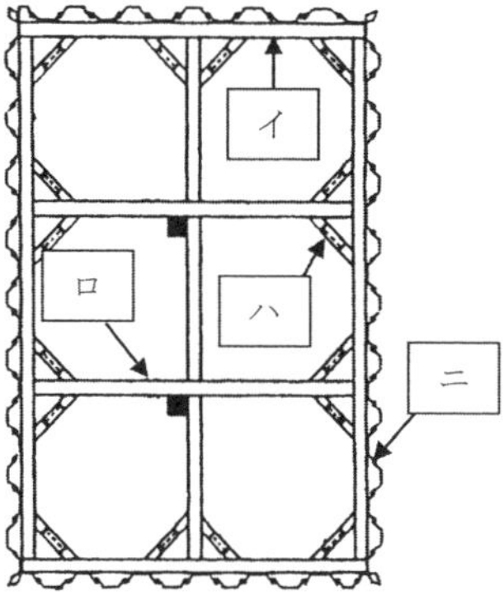

20　次のうち、組積造はどれか。

イ　鉄骨造
ロ　鉄筋コンクリート造
ハ　補強コンクリートブロック造
ニ　鉄骨鉄筋コンクリート造

21　日本産業規格(JIS)の一般構造用炭素鋼鋼管によれば、単管足場の組立てに使用する外径48.6mm、肉厚2.5mmの単管(パイプ)1m当たりの質量はどれか。

イ　4.84kg
ロ　3.84kg
ハ　2.84kg
ニ　1.84kg

22　建築基準法関係法令によれば、建築物の主要構造部に含まれるものはどれか。

イ　屋根
ロ　間仕切壁
ハ　小ばり
ニ　ひさし

23　文中の(　　)内に当てはまる数値として、正しいものはどれか。

建築基準法関係法令によれば、型わく支保工のはり下支柱の存置日数は、原則として、(　　)日以上としなければならない。

イ　15
ロ　20
ハ　25
ニ　28

［B群（多肢択一法）］

24　文中の(　　)内に当てはまる数値として、正しいものはどれか。

　労働安全衛生法関係法令によれば、脚立は、脚と水平面との角度を(　　)°以下とし、かつ、折りたたみ式のものにあっては、脚と水平面との角度を確実に保つための金具等を備えることと規定されている。

イ　90

ロ　85

ハ　80

ニ　75

25　文中の(　　)内に当てはまる語句として、適切なものはどれか。

　労働安全衛生法関係法令によれば、フォークリフトの運転の業務に関する安全又は衛生のための特別の教育を受けた者は、最大荷重(　　)のフォークリフトの運転(道路上を走行させる運転を除く。)の業務を行うことができる。

イ　1トン未満

ロ　1トン以上5トン未満

ハ　5トン以上10トン未満

ニ　10トン以上

令和４年度 技能検定
２級 とび 学科試験問題
（とび作業）

1. 試験時間　1時間40分
2. 問題数　50題(A群25題、B群25題)
3. 注意事項

(1) 係員の指示があるまで、この表紙はあけないでください。

(2) 答案用紙(真偽法と多肢択一法の併用)に検定職種名、作業名、級別、受検番号、氏名を必ず記入してください。

(3) 係員の指示に従って、問題数を確かめてください。それらに異常がある場合は、黙って手を挙げてください。問題はA群(真偽法)とB群(多肢択一法)とに分かれています。

(4) 試験開始の合図で始めてください。

(5) 解答の方法(真偽法と多肢択一法の併用)は次のとおりです。

イ. A群の問題(真偽法)は、一つ一つの問題の内容が正しいか、誤っているかを判断して解答してください。

ロ. B群の問題(多肢択一法)は、正解と思うものを一つだけ選んで、解答してください。二つ以上に解答した場合は誤答となります。

ハ. 答案用紙(マークシート用紙)へ解答する際は、答案用紙に記載されている注意事項に従ってください。

ニ. 答案用紙の解答欄は、A群の問題とB群の問題とでは異なります。所定の解答欄に、試験問題の題数に応じて解答してください。解答欄はA群は50題まで、B群は25題まで解答できるようになっています。

(6) 電子式卓上計算機その他これと同等の機能を有するものは、使用してはいけません。

(7) 携帯電話、スマートフォン、ウェアラブル端末等は、使用してはいけません。

(8) 試験中、質問があるときは、黙って手を挙げてください。ただし、試験問題の内容、漢字の読み方等に関する質問にはお答えできません。

(9) 試験終了時刻前に解答ができあがった場合は、黙って手を挙げて、係員の指示に従ってください。

(10) 試験中に手洗いに立ちたいときは、黙って手を挙げて、係員の指示に従ってください。

(11) 試験終了の合図があったら、筆記用具を置き、係員の指示に従ってください。

［A群（真偽法）］

1　労働安全衛生法関係法令によれば、足場(一側足場を除く。)における高さ2.4mの作業場所には、作業床は不要であるとされている。

2　単管足場の壁つなぎの間隔は、一般に、枠組足場の場合よりも広い。

3　本足場の建地の根元に敷板を敷くのは、建地の沈下を防ぐためである。

4　布掘りとは、建築面積の全面にわたって地盤を掘削することをいう。

5　掘削工事におけるアイランド工法とは、法付け(法面)オープンカット工法と切りばり工法を併用した工法である。

6　鉄筋のかぶり厚さとは、鉄筋の表面からこれを覆うコンクリート表面までの最短距離をいう。

7　木造家屋の曳《ひ》き家において、木製の道板を使用する場合には、道板の上に道金(鉄の板)を置くとよい。

8　コンクリートガラは、再生骨材としては使用できない。

9　コンクリート工作物の解体をコンクリートカッターで行う場合、冷却水は不要である。

10　玉掛けワイヤロープ(2本づり)にて荷をつる場合、荷に加わる圧縮力は、つり角度が小さくなると、大きくなる。

11　荷をつり上げる場合、荷の重心の位置は、高いほどつり荷が安定する。

12　セオドライト(トランシット)は、主として、鉛直角及び水平角を測る器具である。

13　かけやとは、杭などを打ち込むときに用いる大型の木槌《きづち》をいう。

14　タワークレーンには、ブーム水平式とブーム起伏式とがあるが、トロリーがあるのは、起伏式の方である。

15　ウインチとは、巻き胴にロープを巻き付けることにより、重量物を上げ下ろしたり、移動したりする機械のことをいう。

16　施工図面におけるFLは、一般に、地盤面を表す記号である。

［A群（真偽法）］

17　滑車を使用して荷をつる場合、定滑車を使用しても、動滑車を使用しても、引く力は同じである。

18　安全ネットの材料には、ナイロン、ビニロン、ポリエステル等の合成繊維が使用されている。

19　コンクリートは、酸性である。

20　建築基準法関係法令によれば、5階建ての鉄筋コンクリート造建築物を建築する場合、工事現場の周囲に設ける仮囲いの高さは、原則として、地盤面から1.5mとされている。

21　火打ばりは、けたと陸ばりの交差部付近等に水平斜めに取り付ける部材である。

22　建築基準法関係法令によれば、ガラスは、不燃材料ではない。

23　建築基準法関係法令によれば、高さ5mの広告塔は、工作物である。

24　つり足場の上で作業を行う場合は、脚立やはしごなどを使用してもよい。

25　労働安全衛生法関係法令によれば、事業者は、作業場の床面については、つまずき、すべり等の危険のないものとし、かつ、これを安全な状態に保持しなければならない。

［Ｂ群（多肢択一法）］

1　労働安全衛生法関係法令によれば、高さ10mの登り桟橋に関する記述として、誤っているものはどれか。
　イ　こう配は、30°以下とする。
　ロ　踊場は、高さ8m以内ごとに設ける。
　ハ　踊場の長さは、1.8m以上とする。
　ニ　登り桟橋及び踊場には、高さ85cm以上の手すりを設ける。

2　法付け(法面)オープンカット工法の長所として、誤っているものはどれか。
　イ　土止め支保工を必要としないため、経済的である。
　ロ　大型掘削機による施工が可能で、作業能率もよい。
　ハ　山留め壁を用いた工法よりも施工管理がしやすい。
　ニ　広い敷地を必要としない。

3　鉄骨の建方の順序として、正しいものはどれか。
　イ　仮ボルト締め → ゆがみ直し → 建方 → 本締め
　ロ　建方 → 仮ボルト締め → ゆがみ直し → 本締め
　ハ　建方 → 本締め → 仮ボルト締め → ゆがみ直し
　ニ　建方 → 本締め → ゆがみ直し → 仮ボルト締め

4　コンクリートの打設に関する記述として、適切なものはどれか。
　イ　打設時にコンクリートが固まり始めたので、水を加えた。
　ロ　激しく雨が降っていたが、コンクリートを打設した。
　ハ　コンクリートが少し足りなくなったので、砂と水を加えた。
　ニ　打設後、乾燥しないように適時、散水を行った。

5　荷の運搬作業に関する記述として、最も適切なものはどれか。
　イ　つり荷の重量目測は、原則として、少なめに目測する。
　ロ　つり荷の高さは、原則として、1mに保ち水平移動する。
　ハ　つり荷の下に作業者等が立ち入ってはならない。
　ニ　荷をつったままでも、運転位置を離れてもよい。

6　静的破砕工法が最も適している構造体はどれか。
　イ　鉄筋コンクリートの壁部分
　ロ　鉄筋コンクリートの床部分
　ハ　鉄骨鉄筋コンクリートの柱部分
　ニ　無筋コンクリートの基礎部分

［B群（多肢択一法）］

7　コンクリート工作物の解体方法の一つである圧砕工法に関する記述として、適切でないものはどれか。

イ　粉じんの発生が比較的多いため、散水設備が必要である。

ロ　騒音や振動は、大型ブレーカー工法に比べて、大きい。

ハ　圧砕機を地上に据えての作業では、高さ20m程度の工作物の解体が可能である。

ニ　圧砕機を地上に据える場合、地盤の接地耐力を十分に検討する必要がある。

8　下図のつり荷の掛かり方のうち、あだ巻はどれか。

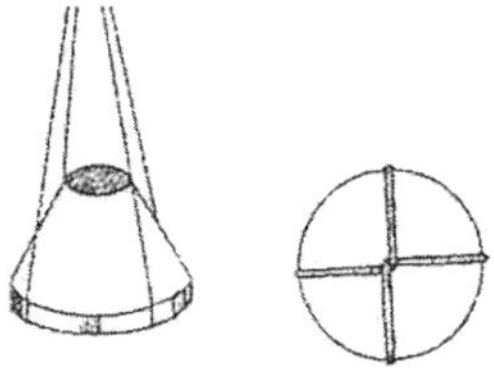

イ

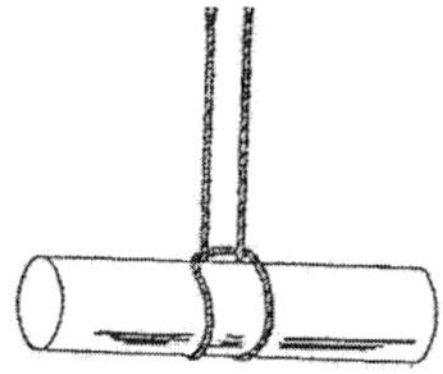

ロ

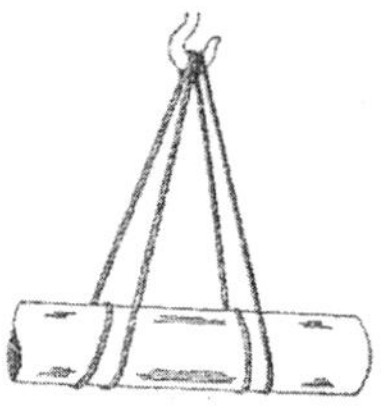

ハ

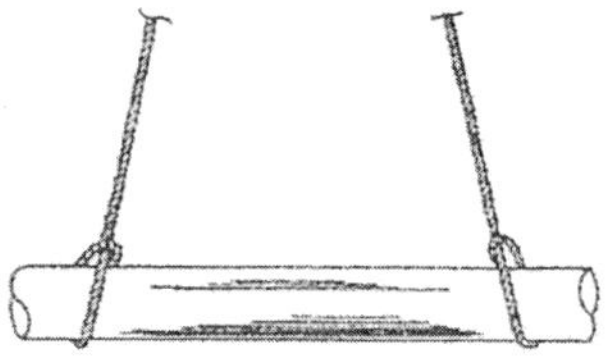

ニ

9　玉掛け用具として、使用しないものはどれか。

イ　つりビーム

ロ　ワイヤもっこ

ハ　Cフック

ニ　台付けワイヤロープ

10　文中の(　　)内に当てはまる語句として、適切なものはどれか。

とび作業において、(　　)とは、番線で足場の丸太や型枠の締付け、置板等の緊結などをする工具である。

イ　かじや

ロ　しの

ハ　げんのう

ニ　テコ

［B群（多肢択一法）］

11　移動式クレーンにおけるアウトリガの主な役割として、正しいものはどれか。
イ　設置面の保護
ロ　車幅の確認
ハ　転倒防止
ニ　機体の沈下防止

12　一般的な施工図に用いる略記号とその名称の組合せとして、正しいものはどれか。

	【略記号】	【名称】
イ	C	基礎
ロ	F	柱
ハ	W	壁
ニ	G	小ばり

13　下図において、100kgと20kgが釣り合う場合のXの値として、正しいものはどれか。

イ　3m
ロ　5m
ハ　6m
ニ　10m

14　枠組足場の部材の用途に関する記述として、適切でないものはどれか。
イ　布枠のつかみ金具が4隅4か所で構成されたものは、水平材の役目をする。
ロ　階段枠を取り付けた場合でも、筋かいは必要である。
ハ　アームロックは、脚柱の抜け止めの役目をする。
ニ　交差筋かいは、建枠の片側に取り付ければよい。

15　建築工事用シートに関する記述として、適切でないものはどれか。
イ　帆布製シート及び網地製シート(メッシュシート)がある。
ロ　網地製シート(メッシュシート)の網目の寸法は、15mmである。
ハ　建築工事用シート各辺の縁部は、はとめ金具が容易に外れない構造である。
ニ　建築工事用シートは、縫い目のとびや縫い外れがなく、縫い代がほぼ均一である。

［B群（多肢択一法）］

16　労働安全衛生法関係法令によれば、玉掛け用ワイヤロープの安全係数として、定められているものはどれか。

イ　3以上
ロ　4以上
ハ　5以上
ニ　6以上

17　建築材料に関する記述として、誤っているものはどれか。

イ　常温常圧において、鉄筋の線膨張係数は、普通コンクリートの3倍である。
ロ　木材の辺材は、一般に、心材よりも腐朽しやすい。
ハ　コンクリートの圧縮強度は、一般に、引張強度の10倍程度である。
ニ　木材は、繊維方向よりも繊維に直角方向の方が、圧縮強度が小さい。

18　下図の土止め支保工の組立て図のうち、腹起しを示しているものはどれか。

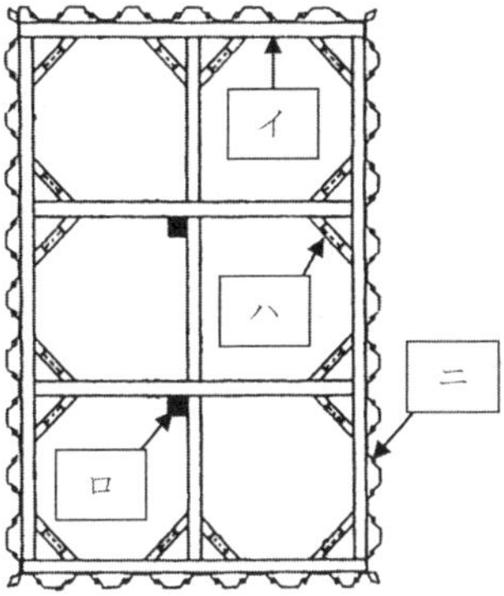

19　次の山留め壁のうち、止水壁でないものはどれか。

イ　親杭横矢板壁
ロ　鋼管矢板壁
ハ　ソイルセメント壁
ニ　鋼矢板壁

20　文中の(　　)内に当てはまる語句として、正しいものはどれか。

RC造とは、(　　)のことである。

イ　鉄骨造
ロ　鉄筋コンクリート造
ハ　鉄骨鉄筋コンクリート造
ニ　コンクリートブロック造

［B群（多肢択一法）］

21　木造建築物の小屋組に使われる部材の名称として、適切でないものはどれか。

イ　棟木

ロ　胴差し

ハ　たる木

ニ　母《も》屋《や》

22　建築基準法関係法令によれば、次のうち、特殊建築物として規定されていないものどれか。

イ　店舗

ロ　体育館

ハ　病院

ニ　学校

23　建設工事に係る資材の再資源化等に関する法律(建設リサイクル法)関係法令によれば、特定建設資材でないものはどれか。

イ　コンクリート

ロ　木材

ハ　紙くず

ニ　アスファルト・コンクリート

24　安全靴の使用に関する記述として、適切でないものはどれか。

イ　事業者は、労働者に作業の状況に応じて、安全靴等の適切な履《はき》物を定め、それを使用させなければならない。

ロ　甲被又は表底が著しく損傷しても、作業に支障がなければそのまま使用してもよい。

ハ　労働者は、事業者の定めた履物の使用を命じられたときは、それを使用しなければならない。

ニ　安全靴を使用する目的は、くぎ等の踏み抜き防止や、落下した材料から防護することにある。

25　熱中症対策に関する記述として、適切でないものはどれか。

イ　定期的に水分及び塩分を摂取する。

ロ　通気性のよい作業服を着用する。

ハ　体調管理を十分に行う。

ニ　熱への順化のため、高温多湿作業場所にて長時間作業を行う。

令和3年度 技能検定
2級 とび 学科試験問題
（とび作業）

1. 試験時間　1時間40分
2. 問題数　50題(A群25題、B群25題)
3. 注意事項
   (1) 係員の指示があるまで、この表紙はあけないでください。
   (2) 答案用紙(真偽法と多肢択一法の併用)に検定職種名、作業名、級別、受検番号、氏名を必ず記入してください。
   (3) 係員の指示に従って、問題数を確かめてください。それらに異常がある場合は、黙って手を挙げてください。問題はA群(真偽法)とB群(多肢択一法)とに分かれています。
   (4) 試験開始の合図で始めてください。
   (5) 解答の方法(真偽法と多肢択一法の併用)は次のとおりです。
      イ. A群の問題(真偽法)は、一つ一つの問題の内容が正しいか、誤っているかを判断して解答してください。
      ロ. B群の問題(多肢択一法)は、正解と思うものを一つだけ選んで、解答してください。二つ以上に解答した場合は誤答となります。
      ハ. 答案用紙(マークシート用紙)へ解答する際は、答案用紙に記載されている注意事項に従ってください。
      ニ. 答案用紙の解答欄は、A群の問題とB群の問題とでは異なります。所定の解答欄に、試験問題の題数に応じて解答してください。解答欄はA群は50題まで、B群は25題まで解答できるようになっています。
   (6) 電子式卓上計算機その他これと同等の機能を有するものは、使用してはいけません。
   (7) 携帯電話、スマートフォン、ウェアラブル端末等は、使用してはいけません。
   (8) 試験中、質問があるときは、黙って手を挙げてください。ただし、試験問題の内容、漢字の読み方等に関する質問にはお答えできません。
   (9) 試験終了時刻前に解答ができあがった場合は、黙って手を挙げて、係員の指示に従ってください。
   (10) 試験中に手洗いに立ちたいときは、黙って手を挙げて、係員の指示に従ってください。
   (11) 試験終了の合図があったら、筆記用具を置き、係員の指示に従ってください。

［A群（真偽法）］

1　労働安全衛生法関係法令によれば、建設工事に使用する高さ8m以上の登りさん橋には、7m以内ごとに踊場を設けなければならない。

2　労働安全衛生法関係法令によれば、単管足場の地上第一の布は、3mの位置に設けなければならない。

3　建設用リフトの荷台と荷の取入れ口のすき間は、10cmにするとよい。

4　ウェルポイント工法は、周囲の地下水の水位を下げて、掘削作業をしやすくする工法である。

5　アンダーピニングは、既存の構造物が沈んだり倒れたりしないように補強等を行う工事である。

6　高力ボルト(ハイテンションボルト)を使って鉄骨を接合する場合は、一般に、座金(ワッシャ)を使用しない。

7　建築物のひき方工事は、ひき方準備、腰組、あげ方、ひき方及び定着の順に行う。

8　解体などに使用する圧砕機は、垂直たたきには適していない。

9　鉄筋コンクリート造建築物を解体する場合、築後の年数により強度等が異なるため、重機の乗入れ時に注意が必要である。

10　もっこやシャックルは、クレーン等で荷をつる場合に、玉掛け用具としても使用される。

11　つりチェーンは、ワイヤロープに比べ、耐熱性や耐食性に優れており、また、変形しにくいなどの利点がある。

12　かけやには、胴(頭)が木製のものの他に鉄製のものがある。

13　木材を電動丸のこで切断する場合、安全カバーを固定して作業を行ってはならない。

14　フォークリフトは、デリックの一種である。

15　タワークレーンには、水平式と起伏式がある。

［A群（真偽法）］

16　一般に使用される鉄筋コンクリート造建築物の部材とその記号の組合せとして、次は全て正しい。

柱－G　　床スラブ－B　　大ばり－C

17　荷を横引きする場合、荷が動き出すまでの静止の摩擦力は、荷が動き出した後の運動の摩擦力よりも小さい。

18　型わく締付け用金物のフォームタイは、コンクリートの中に打ち込んで使用するものである。

19　労働安全衛生法関係法令によれば、つり足場のつり索にワイヤロープを使用する場合、一度キンクしたものは、使用してはならない。

20　養生朝顔の突出し長さは、足場の外側からの水平距離で2m以上とする。

21　鉄骨造で柱とはりを接合する継手には、ガセットタイプ、ブラケットタイプ、ノーブラケットタイプなどがある。

22　建築基準法関係法令で定める主要構造部には、階段は含まれていない。

23　現場事務所に使用される仮設事務所の構造等には、建築基準法上の制限はない。

24　墜落の危険がある高さ2.5mの位置で行う足場の解体作業には、安全帯を使用しなくてもよい。

25　労働安全衛生法関係法令によれば、脚立は、脚と水平面との角度を80°以下としなければならないとされている。

［Ｂ群（多肢択一法）］

1　文中の(　　)内に当てはまる数値として、正しいものはどれか。

労働安全衛生法関係法令によれば、足場板を長手方向に重ねるときは、支点の上で重ね、その重ねた部分の長さは、(　　)cm以上とすることとされている。

イ　10
ロ　15
ハ　20
ニ　25

2　文中の(　　)内に当てはまる数値の組合せとして、正しいものはどれか。

労働安全衛生法関係法令によれば、砂からなる地山を手掘りによって掘削する場合は、掘削面のこう配を(　A　)度以下とし、又は掘削面の高さを(　B　)m未満とすることとされている。

	(A)	(B)
イ	45	5
ロ	35	5
ハ	45	7
ニ	35	7

3　下図において、鉄筋に対するコンクリートのかぶり厚さを示す寸法表示として、正しいものはどれか。

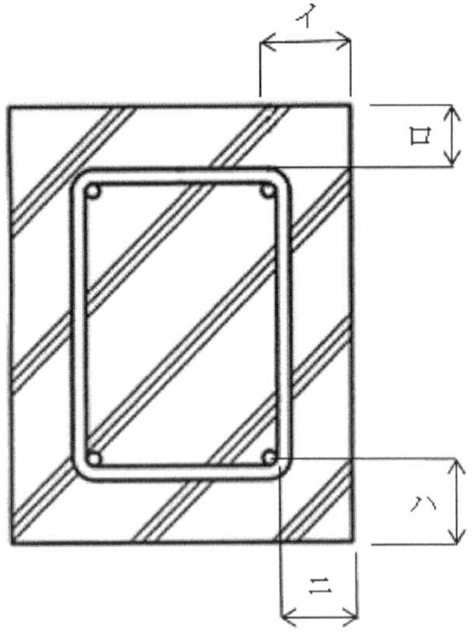

［B群（多肢択一法）］

4　野地(屋根下地)作業における安全上の注意点に関する記述として、誤っているものはどれか。

イ　霜のおりているときは、霜がとけて乾くまで作業は行わない。

ロ　材料や工具が落下しないようにする。

ハ　資材を仮置きするときは、1か所にまとめて置いておく。

ニ　屋根への昇降に使用するはしごは、転位防止の措置をとる。

5　重量物の運搬時に重量物の下に設置するころの本数として、適切なものはどれか。

イ　1本

ロ　2本

ハ　3本

ニ　7本

6　文中の(　　)内に当てはまる数値として、適切なものはどれか。

建設工事に係る資材の再資源化等に関する法律(建設リサイクル法)関係法令によれば、建築物の解体工事で分別解体等実施義務の対象となる建設工事の規模に関する基準の一つとして、解体する建築物の床面積の合計が(　　)m^2以上の場合がある。

イ　20

ロ　80

ハ　200

ニ　500

7　空気圧又は油圧によるたがねの振動打撃によって、コンクリートを解体する工法はどれか。

イ　ブレーカー工法

ロ　圧砕工法

ハ　カッター工法

ニ　静的破砕工法

8　玉掛けの方法に関する記述として、誤っているものはどれか。

イ　重心の位置が片寄っているものは、水平につり上げるようにする。

ロ　フックは、つり荷の重心の真上に誘導する。

ハ　重心の位置は、できるだけ高くする。

ニ　地切り後、一旦停止する。

［B群（多肢択一法）］

9　労働安全衛生法関係法令によれば、特別教育を必要とする業務として、誤っているものはどれか。

イ　つり上げ荷重が5t未満のクレーンの運転の業務

ロ　つり上げ荷重が1t以上5t未満の移動式クレーンの運転の業務

ハ　つり上げ荷重が5t未満のデリックの運転の業務

ニ　つり上げ荷重が1t未満のクレーン、移動式クレーン又はデリックの玉掛けの業務

10　とび作業に使用する器工具に関する記述として、正しいものはどれか。

イ　トランシットは、鉛直角を測ることができる。

ロ　箱ジャッキは、物体を押すことができるが、上に上げることはできない。

ハ　スクリュージャッキ(きりんジャッキ)は、オイルジャッキよりも大きい揚重力がある。

ニ　レベルは、垂直角を測定する専用器具である。

11　一般に、建設工事に使用しないクレーンはどれか。

イ　跨《こ》線テルハ

ロ　トラッククレーン

ハ　ホイールクレーン

ニ　デリック

12　次の図面のうち、建物の床高や軒高等の高さの関係と、外壁や開口部との関係を詳細に示すものはどれか。

イ　平面図

ロ　矩計《かなばかり》図

ハ　配置図

ニ　立面図

13　次の荷重のうち、単位が質量となるものはどれか。

イ　ワイヤロープの破断荷重

ロ　ワイヤロープにかかる引張り荷重

ハ　クレーンのつり荷にかかる衝撃荷重

ニ　クレーンのつり上げ荷重

14　飛来落下・飛散防止の設備として使用される次の材料のうち、風による影響を最も受けにくいものはどれか。

イ　メッシュシート

ロ　防音パネル

ハ　帆布シート

ニ　グリーンネット

［B群（多肢択一法）］

15　単管ブラケット一側足場の組立てにおいて、一般に、使用しない足場用資材はどれか。

イ　直交型クランプ
ロ　3連クランプ
ハ　固定型ベース金具
ニ　持送りわく

16　文中の(　　)内に当てはまる数値として、正しいものはどれか。

労働安全衛生法関係法令によれば、重量物をつり上げる玉掛け用フックの安全係数は、(　　)以上としなければならないとされている。

イ　5
ロ　6
ハ　7
ニ　8

17　建築材料に関する記述として、誤っているものはどれか。

イ　合板とは、奇数枚の単板を張り合わせたものである。
ロ　鉄筋コンクリート用棒鋼において、SDとは、異形棒鋼のことである。
ハ　コンクリートは、水、セメント、骨材及び混和材料を練り混ぜたものである。
ニ　木材の心材は、一般に、辺材よりも腐りやすい。

18　労働安全衛生法関係法令における架設通路に関する記述として、誤っているものはどれか。

イ　丈夫な構造とすること。
ロ　こう配が15°を超えるものには、踏さんその他の滑止めを設けること。
ハ　高さ50cm程度の手すりを設けること。
ニ　たて杭内の仮設通路でその長さが15m以上であるものは、10m以内ごとに踊場を設けること。

19　仮設さん橋通路の構造に関する記述として、誤っているものはどれか。

イ　通路の幅は、60cm以上を標準とする。
ロ　通路面は、つまずき、すべり、踏抜等の危険がない状態にする。
ハ　高さ5cmの幅木を設ける。
ニ　登り桟橋のこう配は、30°以下とする。

［B群（多肢択一法）］

20　下図の屋根形状の名称として、正しいものはどれか。

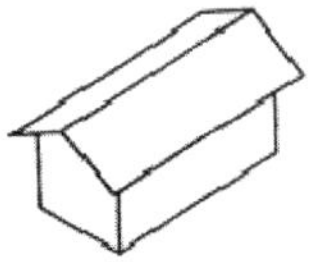

イ　切妻屋根

ロ　片流れ屋根

ハ　方形屋根

ニ　入母屋屋根

21　木造建築物の構法として、適切でないものはどれか。

イ　在来軸組構法

ロ　枠組壁構法

ハ　木質プレハブ構法

ニ　一体式構法

22　建築基準法関係法令において、不燃材料でないものはどれか。

イ　コンクリート

ロ　れんが

ハ　厚さ9mmのせっこうボード

ニ　瓦《かわら》

23　文中の(　　)内に当てはまる数値として、正しいものはどれか。

建築基準法関係法令によれば、鉄骨鉄筋コンクリート造における鉄骨に対するコンクリートのかぶり厚さは、(　　)cm以上としなければならないとされている。

イ　3

ロ　4

ハ　5

ニ　6

24　文中の(　　)内に当てはまる数値として、正しいものはどれか。

労働安全衛生法関係法令によれば、事業者は、高さ又は深さが(　　)mを超える箇所で作業を行うときは、当該作業に従事する労働者が安全に昇降するための設備等を設けなければならない。

イ　1.2

ロ　1.3

ハ　1.4

ニ　1.5

［B群（多肢択一法）］

25　文中の(　　)内に当てはまる数値として、正しいものはどれか。

労働安全衛生法関係法令によれば、高所作業車の運転の業務として技能講習の修了が必要と定められているのは、作業床の高さが(　　)m以上のものである。

イ　3

ロ　6

ハ　10

ニ　15

令和５年度 技能検定
１級 とび 学科試験問題
（とび作業）

1. 試験時間　1 時間 40 分
2. 問題数　50 題(A 群 25 題、B 群 25 題)
3. 注意事項

(1)　係員の指示があるまで、この表紙はあけないでください。

(2)　答案用紙(真偽法と多肢択一法の併用)に検定職種名、作業名、級別、受検番号、氏名を必ず記入してください。

(3)　係員の指示に従って、問題数を確かめてください。それらに異常がある場合は、黙って手を挙げてください。問題は A 群(真偽法)と B 群(多肢択一法)とに分かれています。

(4)　試験開始の合図で始めてください。

(5)　解答の方法(真偽法と多肢択一法の併用)は次のとおりです。

イ．　A 群の問題(真偽法)は、一つ一つの問題の内容が正しいか、誤っているかを判断して解答してください。

ロ．　B 群の問題(多肢択一法)は、正解と思うものを一つだけ選んで、解答してください。二つ以上に解答した場合は誤答となります。

ハ．　答案用紙(マークシート用紙)へ解答する際は、答案用紙に記載されている注意事項に従ってください。

ニ．　答案用紙の解答欄は、A群の問題とB群の問題とでは異なります。所定の解答欄に、試験問題の題数に応じて解答してください。解答欄は A 群は 50 題まで、B 群は 25 題まで解答できるようになっています。

(6)　電子式卓上計算機その他これと同等の機能を有するものは、使用してはいけません。

(7)　携帯電話、スマートフォン、ウェアラブル端末等は、使用してはいけません。

(8)　試験中、質問があるときは、黙って手を挙げてください。ただし、試験問題の内容、漢字の読み方等に関する質問にはお答えできません。

(9)　試験終了時刻前に解答ができあがった場合は、黙って手を挙げて、係員の指示に従ってください。

(10)　試験中に手洗いに立ちたいときは、黙って手を挙げて、係員の指示に従ってください。

(11)　試験終了の合図があったら、筆記用具を置き、係員の指示に従ってください。

［A群（真偽法）］

1　単管足場において、高さ2m以上の作業場所に設けた作業床には、高さ85cm以上の手すり等及び高さ35～50cmの中桟等を取り付ける。

2　労働安全衛生法関係法令によれば、高さが8.5mの登り桟橋には、踊り場を設ける必要はない。

3　安全ネットを取り付ける場合、落下高さができるだけ小さくなるようにするとよい。

4　土止め(土留め)支保工の切りばり又は腹起こしの取付け又は取外しの作業を行う場合には、作業場所を区画し、関係者以外の立入り禁止の措置を行う。

5　割栗地業における割栗石の敷き込み幅は、基礎フーチングの幅よりも小さくする。

6　コンクリートを打設する場合、コンクリートのスランプ値が大きいほど、型わく支保工に加わる側圧が小さくなる。

7　建築基準法関係法令によれば、原則として、コンクリート打込み中及び打込み後、最長2日間、コンクリートの温度が2℃を下らないようにし、かつ、コンクリートの凝結及び硬化が妨げられないように養生しなければならないとされている。

8　クレーンでつり上げた荷を水平移動させる場合は、原則として、床上2m以上の高さを保つ。

9　建築工事現場において発生した木くずは、安定型最終処分場で埋立処分することができる。

10　労働安全衛生法関係法令によれば、直径の減少が公称径の7%を超えるワイヤロープは、クレーン等の玉掛用具として使用してはならない。

11　下図の掛け方は、目通しづりである。

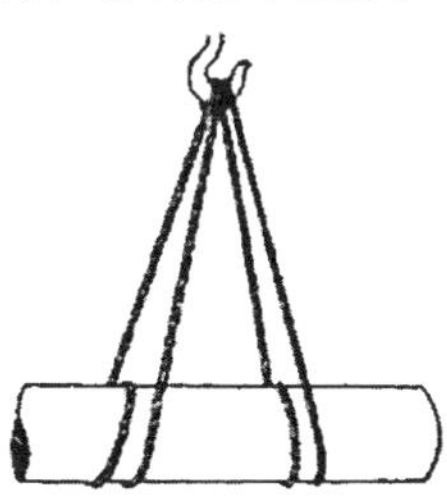

12　トランシットは、水平角と鉛直角を測ることができる。

［A群（真偽法）］

13　積載形トラッククレーンでは、空車時の定格総荷重は、トラックの前方、後方及び側方のいずれの領域で荷をつり上げる場合でも変わらない。

14　労働安全衛生法関係法令によれば、簡易リフトの搬器には、通常の建設作業において労働者を乗せてはならない。

15　日本産業規格(JIS)の建築製図通則によれば、次の材料構造表示記号は、コンクリート及び鉄筋コンクリートを表す。

16　図A、図B、図Cにおいて、同じ力Pでロープを引いたとき、つり上げることができる荷重の比 Wa : Wb : Wc は、2 : 3 : 4である。ただし、滑車及びロープの質量・摩擦は考えないものとする。

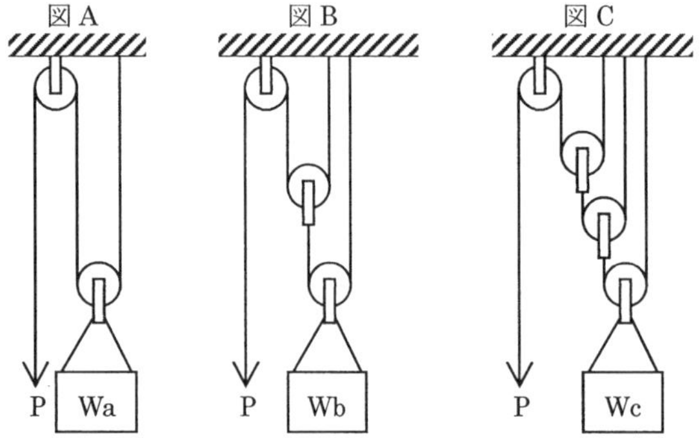

17　バウシャックルの形式等を表す記号「BD20」において、「B」はバウシャックルを示すシャックル本体の記号、「D」はボルトの形状を示す記号、「20」は使用荷重の呼びである。

18　わく組足場用の建わく及びその附属品は、コンクリート型わく支保工には使用できない。

19　巻上げ用ワイヤロープは、一般に、これを巻き取るウインチのドラムの径が小さいほど寿命が短くなる。

20　コンクリート工事におけるワーカビリティーとは、コンクリートの打込み作業のしやすさを表す。

21　本足場とは、鋼管足場のことで、丸太で組んだ足場は含まれない。

［A群（真偽法）］

22　鉄筋コンクリート造では、主として、鉄筋が引張力に抵抗し、コンクリートが圧縮力に抵抗する。

23　建築基準法関係法令によれば、建築物の最下階の床は、当該建築物の主要構造部に含まれない。

24　つり足場の上で簡単な作業を行う場合は、脚立やはしごなどを使用してもよい。

25　酸素欠乏危険作業を行うときは、当該作業を行う場所の空気中の酸素の濃度を18%以上に保つようにしなければならない。

［Ｂ群（多肢択一法）］

1　防護棚(養生朝顔)に関する記述として、適切でないものはどれか。

イ　足場の高さが地上から20m以上の場合は、二段以上取り付ける。

ロ　敷板は、足場から水平距離で2m以上突き出し、隙間なく全面に張る。

ハ　落下物による歩行者等への危害を防止するための落下物防止設備である。

ニ　敷板には、ベニヤ板で厚さ12mm以上のものを用いる。

2　文中の(　　)内に当てはまる数値の組合せとして、正しいものはどれか。

労働安全衛生法関係法令によれば、型わく支保工で、パイプサポートを支柱として用いるものにあっては、パイプサポートを(　A　)以上継いで用いないこと。また、高さが3.5mを超えるときは、高さ(　B　)m以内ごとに水平つなぎを2方向に設け、かつ、水平つなぎの変位を防止すること。

	A	B
イ	3	2
ロ	2	3
ハ	3	1.5
ニ	2	1.8

3　次のうち、止水性のない山止め(山留め)壁はどれか。

イ　親杭横矢板壁

ロ　ソイルセメント壁

ハ　鋼矢板壁

ニ　場所打ち鉄筋コンクリート地中壁

4　鉄筋に対するコンクリートのかぶり厚さに関する記述として、適切でないものはどれか。

イ　かぶり厚さが不足すると、鉄筋が発錆《はっせい》することもある。

ロ　かぶり厚さは、鉄筋の中心からコンクリートの表面までの距離である。

ハ　かぶり厚さは、柱やはり等の部材と位置ごとに定められている。

ニ　基礎のかぶり厚さには、捨コンクリートの厚さは含めない。

5　文中の(　　)内に当てはまる数値として、最も適切なものはどれか。

寸法10m×5m×0.2mの普通コンクリートスラブのおよその質量は、約(　　)トンである。

イ　37

ロ　30

ハ　23

ニ　16

［B群（多肢択一法）］

6　クレーンによる荷の運搬作業に関する記述として、適切でないものはどれか。

イ　つり荷の重量目測では、原則として、多めに重量を見積もる。

ロ　原則として、つり上げられた荷の下に立ち入ってはならない。

ハ　つり荷の上には、人を乗せてはならない。

ニ　荷をつったままでも、安全ロックをすれば、運転者は運転位置を離れてもよい。

7　文中の(　　)内に当てはまる語句として、正しいものはどれか。

RC構造物の解体工法である(　　)は、薬剤の膨張力を利用してコンクリートにひび割れを発生させ、破砕する工法である。

イ　静的破砕工法

ロ　圧砕工法

ハ　ブレーカー工法

ニ　ワイヤソー工法

8　日本産業規格(JIS)によれば、公称径10.0mmのワイヤロープ(6×24－A種)の破断力(最小値)として、正しいものはどれか。

イ　49.3 kN

ロ　61.8 kN

ハ　77.0 kN

ニ　96.6 kN

9　とび工事に使用する器工具に関する記述として、適切でないものはどれか。

イ　ワイヤクリップは、ワイヤロープのしって(端末)を止めるのに使用する。

ロ　ドリフトピンは、鉄骨工事のボルト穴等を合わせるのに使用する。

ハ　かじや(バール)は、杭などを打ち込むときに使用する。

ニ　しのは、足場などの番線を締めるのに使用する。

10　建築物の基礎工事等で使用する掘削機械として、適切でないものはどれか。

イ　ドラグライン

ロ　クラムシェル

ハ　バックホウ

ニ　タンピングランマ

11　施工図等に用いられる次の略記号のうち、基礎の小ばりを表すものはどれか。

イ　GL

ロ　FS

ハ　FB

ニ　FG

［Ｂ群（多肢択一法）］

12　力の三要素に含まれないものはどれか。

　イ　大きさ
　ロ　速さ
　ハ　方向
　ニ　作用点

13　下図の張出し足場における部材イ～ニの名称として、適切でないものはどれか。

　イ　アンカーボルト
　ロ　幅木
　ハ　根太
　ニ　壁つなぎ用金具

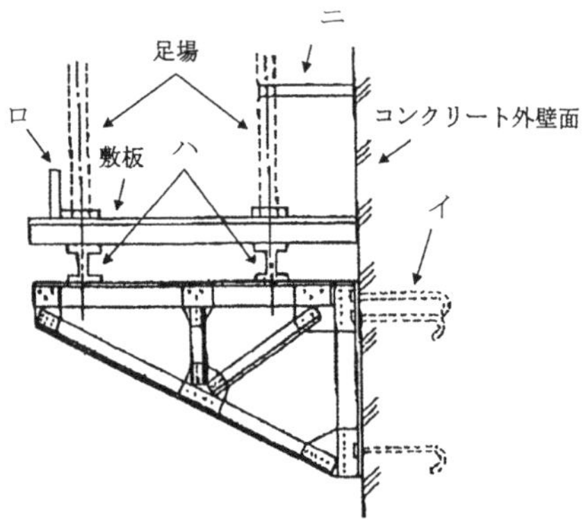

14　日本産業規格(JIS)の鋼管足場によれば、単管足場用鋼管の品質として、誤っているものはどれか。

　イ　厚みを2.5mmとすること。
　ロ　外径を48.6mmとすること。
　ハ　鋼管の種類をSTK290とすること。
　ニ　防錆《せい》効果のあるめっきを施すこと。

15　一般に、軟鋼材の用途として、適切でないものはどれか。

　イ　くぎ
　ロ　ワイヤロープ
　ハ　鉄筋
　ニ　建築構造用形鋼

16　土止め(土留め)支保工の部材とそれにかかる力の種類の組合せとして、適切でないものはどれか。

　　　<部材>　　　<力の種類>
　イ　火打ちばり・・・引張り
　ロ　矢板・・・・・・曲げ
　ハ　切りばり・・・・圧縮
　ニ　腹起こし・・・・曲げ

［B群（多肢択一法）］

17　支柱足場でないものはどれか。
　イ　丸太足場
　ロ　つり棚足場
　ハ　一側足場
　ニ　棚足場

18　わく組足場の標準的な組立て方法に関する記述として、適切でないものはどれか。
　イ　床付き布わくの取付けは、横架材に対してつかみ金具を完全にロックさせる。
　ロ　交さ筋かいは、足場の両面(前踏側及び後踏側)に取り付ける。
　ハ　脚部は、その下に敷板を敷き、ジャッキ型ベース金具により固定する。
　ニ　床付き布わく同士の隙間は、最大10cmとする。

19　SRC造とも呼ばれるものはどれか。
　イ　鉄骨鉄筋コンクリート造
　ロ　鉄骨造
　ハ　鉄筋コンクリート造
　ニ　補強コンクリートブロック造

20　鉄骨造における柱とはりの接合に直接関係しないものはどれか。
　イ　フランジ
　ロ　スカラップ
　ハ　スチフナー
　ニ　ウイングプレート

21　文中の(　　)内に当てはまる数値の組合せとして、正しいものはどれか。

建築基準法関係法令によれば、建築工事等を行う場合において、建築物のための工事をする部分が、工事現場の境界線から水平距離が(　A　)m以内で、かつ、地盤面からの高さが(　B　)m以上あるときは、工事現場の周囲その他危険防止上必要な部分を鉄網又は帆布でおおう等落下物による危害を防止するための措置を講じなければならないと規定されている。

	A	B
イ	5	3
ロ	3	5
ハ	7	5
ニ	5	7

22　建築基準法関係法令に規定される不燃材料でないものはどれか。
　イ　れんが
　ロ　ガラス
　ハ　木毛セメント板
　ニ　コンクリート

［B群（多肢択一法）］

23　労働安全衛生法関係法令によれば、作業主任者を選任すべき作業に該当しないものはどれか。

イ　型わく支保工の解体作業

ロ　つり足場(ゴンドラのつり足場を除く。)の組立作業

ハ　高さが4mの鉄骨造建築物の解体作業

ニ　軒の高さが5mの木造建築物の構造部材の組立作業

24　労働安全衛生法関係法令によれば、特別教育を受けた者が従事できる業務はどれか。

イ　つり上げ荷重が1トン以上の移動式クレーンの運転(道路上を走行させる運転を除く。)の業務

ロ　可燃性ガス及び酸素を用いて行う金属の溶接、溶断又は加熱の業務

ハ　つり上げ荷重が1トン以上の移動式クレーンの玉掛けの業務

ニ　アーク溶接機を用いて行う金属の溶接、溶断等の業務

25　文中の(　　)内に当てはまる数値として、正しいものはどれか。

労働安全衛生法関係法令によれば、事業者は(　　)m以上の高所から物体を投下するときは、適当な投下設備を設け、監視人を置く等労働者の危険を防止するための措置を講じなければならないと規定されている。

イ　1

ロ　3

ハ　5

ニ　7

令和４年度 技能検定
１級 とび 学科試験問題
（とび作業）

1. 試験時間　1時間40分
2. 問題数　50題(A群25題、B群25題)
3. 注意事項
   (1) 係員の指示があるまで、この表紙はあけないでください。
   (2) 答案用紙(真偽法と多肢択一法の併用)に検定職種名、作業名、級別、受検番号、氏名を必ず記入してください。
   (3) 係員の指示に従って、問題数を確かめてください。それらに異常がある場合は、黙って手を挙げてください。問題はA群(真偽法)とB群(多肢択一法)とに分かれています。
   (4) 試験開始の合図で始めてください。
   (5) 解答の方法(真偽法と多肢択一法の併用)は次のとおりです。
      イ. A群の問題(真偽法)は、一つ一つの問題の内容が正しいか、誤っているかを判断して解答してください。
      ロ. B群の問題(多肢択一法)は、正解と思うものを一つだけ選んで、解答してください。二つ以上に解答した場合は誤答となります。
      ハ. 答案用紙(マークシート用紙)へ解答する際は、答案用紙に記載されている注意事項に従ってください。
      ニ. 答案用紙の解答欄は、A群の問題とB群の問題とでは異なります。所定の解答欄に、試験問題の題数に応じて解答してください。解答欄はA群は50題まで、B群は25題まで解答できるようになっています。
   (6) 電子式卓上計算機その他これと同等の機能を有するものは、使用してはいけません。
   (7) 携帯電話、スマートフォン、ウェアラブル端末等は、使用してはいけません。
   (8) 試験中、質問があるときは、黙って手を挙げてください。ただし、試験問題の内容、漢字の読み方等に関する質問にはお答えできません。
   (9) 試験終了時刻前に解答ができあがった場合は、黙って手を挙げて、係員の指示に従ってください。
   (10) 試験中に手洗いに立ちたいときは、黙って手を挙げて、係員の指示に従ってください。
   (11) 試験終了の合図があったら、筆記用具を置き、係員の指示に従ってください。

［A群（真偽法）］

1　労働安全衛生法関係法令によれば、勾配が15°を超える架設通路には、踏さんその他の滑止めを設けることとされている。

2　養生朝顔のはね出しの長さは、水平距離で足場の外側から2m以上とする。

3　安全ネットを取り付ける場合、落下高さができるだけ大きくなるようにするとよい。

4　ウェルポイント工法は、隣接地盤には地盤沈下等の影響を与えない。

5　土止め用の切りばりを一定の間隔に配置し、その交差部に適切な緊結をして水平方向の座屈を防止する処置をすれば、支柱(中間ぐい)はなくてもよい。

6　鉄骨の建方の一つであるリフトアップ工法とは、床又は屋根の鉄骨を地上で地組したものを、ジャッキ等で上昇させて、本柱に定着させる工法をいう。

7　型枠にかかるコンクリートの側圧は、コンクリートの打設速度の影響を受ける。

8　ころを使用して物体を旋回させるには、物体の前後のころを同時に反対方向に切るようにするのがよい。

9　曳《ひ》き家工事における下受工法(下腰工法)は、土台の下に鋼材を入れ、建築物の荷重を受けて移動する工法で、主に、木造住宅の移動に用いられる。

10　玉掛け作業で多く使用されるワイヤロープは、一般に、普通よりの6×24－A種である。

11　下図の掛け方は、あだ巻である。

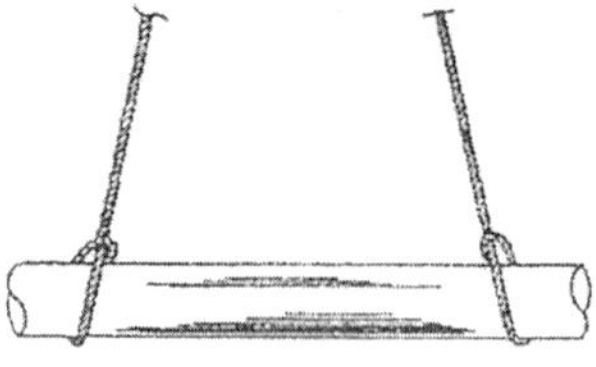

12　ドリフトピン(ボルシン)は、鉄骨工事のボルト穴等を合わせるのに用いる工具である。

13　ウインチの溝なしドラムにワイヤロープが巻き込まれる場合、フリートアングル(中心線からの角度)の値は、2°以内にしなければならない。

［A群（真偽法）］

14　ガイデリックのつり上げ能力は、ブームの傾斜角度により変化する。

15　施工図は、設計図を基に工事の施工に必要な詳細を表した図面である。

16　力の三要素とは、力の大きさ、力の方向(向き)及び力の伝わる速さをいう。

17　ターンバックルは、木造建築物のゆがみ直しにも使用できる。

18　労働安全衛生法関係法令によれば、鋼管足場の壁つなぎ用金具の最大使用長は、1200mm以下とされている。

19　鉄骨工事において、ベースプレートとは、ガセットプレートのことをいう。

20　日本建築学会建築工事標準仕様書(JASS5)によれば、コンクリート強度が36N/mm^{2}以下のコンクリートを普通コンクリートといい、36N/mm^{2}を超えるものを高強度コンクリートという。

21　上屋は、一般に、下小屋と同じ目的で使われる仮設物である。

22　ラーメン構造とは、柱とはりからなる剛な骨組で、これに自重、積載荷重、地震力などの荷重を負担させる構造である。

23　建築基準法関係法令によれば、建築物のはりは、主要構造部に含まれていない。

24　労働安全衛生法関係法令によれば、鋼管などの加工に研削砥《と》石を使用する場合、その日の作業を開始する前には1分間以上、砥石を取り替えたときは3分間以上試運転を行わなければならない。

25　労働安全衛生法関係法令によれば、労働者の危険を防止する措置を講じていなければ、高さ3m以上の高所から物体を投下してはならないとされている。

［B群（多肢択一法）］

1　単管足場に関する記述として、誤っているものはどれか。

イ　建地の脚部には、ベース金具を使用する。

ロ　地上第一の布の高さは、最大2mとする。

ハ　建地の間隔は、最大2mとする。

ニ　布の継手は、いも継ぎ(横一線)にならないようにする。

2　文中の(　　)内に当てはまる数値の組合せとして、正しいものはどれか。

労働安全衛生法関係法令によれば、単管足場の建地の高さが(　A　)mを超える場合は、最上部から測って(　B　)mを超える部分を2本組の建地とすることとされている。

	(A)	(B)
イ	31	31
ロ	30	30
ハ	30	25
ニ	25	25

3　文中の(　　)内に当てはまる数値として、正しいものはどれか。

労働安全衛生法関係法令によれば、事業者は、土止め支保工を設けたときは、その後(　　)日をこえない期間ごとに、部材の損傷、変形、腐食、変位及び脱落の有無及び状態等について、点検を行わなければならないとされている。

イ　7

ロ　8

ハ　9

ニ　10

4　木造軸組工法の仕口の形状とその名称の組合せとして、誤っているものはどれか。

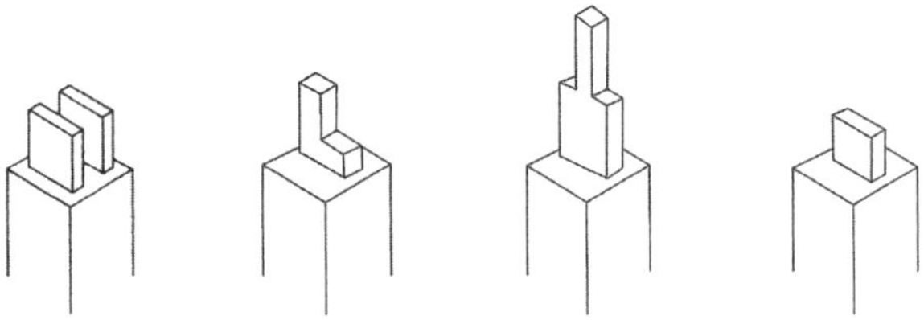

ありほぞ　小根ほぞ　重ねほぞ　平ほぞ

イ　ロ　ハ　ニ

5　荷の運搬作業に関する記述として、最も適切なものはどれか。

イ　つり荷の重量目測は、原則として、少なめに目測する。

ロ　つり荷の高さは、原則として、1mに保ち水平移動する。

ハ　つり荷の上には、人を乗せてはならない。

ニ　荷をつったままでも、運転位置を離れてもよい。

［Ｂ群（多肢択一法）］

6　普通コンクリートを使用した無筋コンクリート3m^3の質量として、適切なものはどれか。

イ　約4.6トン
ロ　約6.9トン
ハ　約9.2トン
ニ　約11.5トン

7　文中の(　　)内に当てはまる語句として、正しいものはどれか。

鉄筋コンクリート構造物の解体工法である(　　)は、機械に付いている刃などで部材を挟み、油圧による圧縮力によって、コンクリートを破壊する工法である。

イ　ワイヤソー工法
ロ　圧砕工法
ハ　ブレーカー工法
ニ　静的破砕工法

8　つり荷を2本つりで玉掛けしたとき、つり角度と1本のロープにかかる張力の組合せとして、適切でないものはどれか。

＜つり角度＞　　　　＜張力＞
イ　30°　・・・　つり荷重の半分の1.04倍
ロ　60°　・・・　つり荷重の半分の1.16倍
ハ　90°　・・・　つり荷重の半分の1.41倍
ニ　120°　・・・　つり荷重の半分の1.75倍

9　手袋を使用してはならない作業はどれか。

イ　丸のこ盤の操作
ロ　トランシットの操作
ハ　パイプサポートの整理
ニ　水平つなぎの取外し

10　次の建設機械のうち、整地作業に適さないものはどれか。

イ　モータグレーダ
ロ　クラムシェル
ハ　トラクターショベル
ニ　ブルドーザ

［B群（多肢択一法）］

11　日本産業規格(JIS)の建築製図通則によれば、コンクリート及び鉄筋コンクリートを表す材料構造表示記号はどれか。

イ 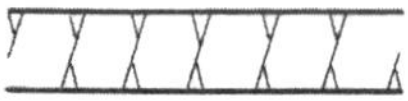

ロ 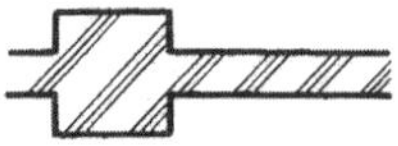

ハ 

ニ 

12　下図のように定滑車及び動滑車を使用して物体をつり上げる場合、ロープを引く力Pは、物体の重量Wに対してどのくらいの力になるか。ただし、滑車、ロープ等の質量及び摩擦は考えないものとする。

イ　1/2の力
ロ　1/4の力
ハ　1/6の力
ニ　1/8の力

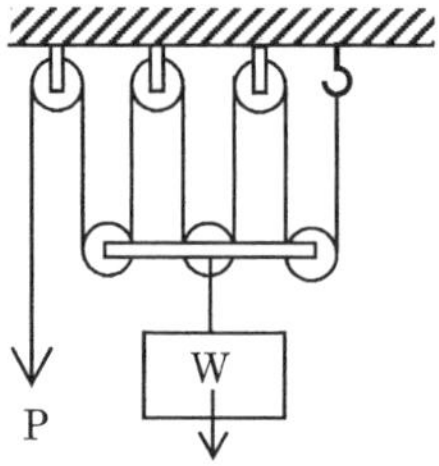

13　型枠相互の間隔を保つために用いる金物で、コンクリート内に埋められるものはどれか。

イ　フォームタイ
ロ　セパレーター
ハ　コラムクランプ
ニ　スペーサー

14　土止め支保工の親杭に横矢板を取り付けるときに使用する材料として、必要のないものはどれか。

イ　くさび
ロ　台座
ハ　桟木
ニ　裏込め材

［B群（多肢択一法）］

15　針葉樹材はどれか。
　イ　ナラ
　ロ　キリ
　ハ　スギ
　ニ　ブナ

16　木質系の集成材に関する記述として、誤っているものはどれか。
　イ　数枚の板を接着剤によって張り合わせるので、合板とも呼ばれている。
　ロ　ひき板・小角材などを、接着剤によって集成して作られた建築材料である。
　ハ　構造用、造作用などの種類がある。
　ニ　わん曲材を作ることができる。

17　工期の短縮及び型枠の解体・搬出の手間を省くために捨て型枠があるが、一般に、地中ばりに使用されないものはどれか。
　イ　スレート型枠
　ロ　ラス型枠
　ハ　デッキプレート型枠
　ニ　ブロック型枠

18　移動式足場(ローリングタワー)に関する記述として、誤っているものはどれか。
　イ　作業床の周囲に高さ90cm以上で中桟付きの丈夫な手すりを取り付ける。
　ロ　作業床の周囲に高さ10cm以上の幅木を取り付ける。
　ハ　作業員を乗せて移動してもよい。
　ニ　組立て高さ(H)は、脚輪の下端から作業床までの高さを基に計算する。

19　建築物の特徴に関する記述として、正しいものはどれか。
　イ　鉄骨造は、鉄骨の柱及びはりを被覆しなくても耐火構造である。
　ロ　鉄筋コンクリート造は、鉄骨造よりも広い部屋がとりやすい。
　ハ　プレハブ造の部材は、規格化され、工場で生産される。
　ニ　鉄筋コンクリート製部材は、プレハブ造に使用することはできない。

20　鉄骨鉄筋コンクリート造の略称として、正しいものはどれか。
　イ　RC造
　ロ　SRC造
　ハ　S造
　ニ　CB造

［B群（多肢択一法）］

21　建築基準法関係法令に定める不燃材料として、誤っているものはどれか。

イ　石

ロ　ガラス

ハ　コンクリート

ニ　パーティクルボード

22　廃棄物の処理及び清掃に関する法律関係法令によれば、廃棄物の定義に含まれないものはどれか。

イ　汚泥

ロ　廃油

ハ　放射能汚染物

ニ　ふん尿

23　労働安全衛生法関係法令によれば、特別教育を受けた者が従事できる業務はどれか。

イ　つり上げ荷重3トンのクレーンの玉掛けの業務

ロ　つり上げ荷重5トン以上のクレーンの運転の業務

ハ　制限荷重が5トン以上の揚貨装置の運転の業務

ニ　アーク溶接機を用いて行う金属の溶接、溶断等の業務

24　保護帽に関する記述として、誤っているものはどれか。

イ　足場の解体作業中は必ず着用する。

ロ　保護帽内の換気用に穴を空けるなどの改造加工をしてもよい。

ハ　着用にあたっては、あごひもを確実に締める。

ニ　衝撃吸収ライナーに著しい傷や割れがないものを使用する。

25　文中の(　　)内に当てはまる数値として、正しいものはどれか。

労働安全衛生法関係法令によれば、事業者は、原則として、高さ又は深さが(　　)mをこえる箇所で作業を行なうときは、当該作業に従事する労働者が安全に昇降するための設備等を設けなければならないと規定されている。

イ　1.0

ロ　1.5

ハ　2.0

ニ　2.5

令和3年度 技能検定
1級 とび 学科試験問題
(とび作業)

1. 試験時間　1時間40分
2. 問題数　　50題(A群25題、B群25題)
3. 注意事項

(1)　係員の指示があるまで、この表紙はあけないでください。

(2)　答案用紙(真偽法と多肢択一法の併用)に検定職種名、作業名、級別、受検番号、氏名を必ず記入してください。

(3)　係員の指示に従って、問題数を確かめてください。それらに異常がある場合は、黙って手を挙げてください。問題はA群(真偽法)とB群(多肢択一法)とに分かれています。

(4)　試験開始の合図で始めてください。

(5)　解答の方法(真偽法と多肢択一法の併用)は次のとおりです。

イ.　A群の問題(真偽法)は、一つ一つの問題の内容が正しいか、誤っているかを判断して解答してください。

ロ.　B群の問題(多肢択一法)は、正解と思うものを一つだけ選んで、解答してください。二つ以上に解答した場合は誤答となります。

ハ.　答案用紙(マークシート用紙)へ解答する際は、答案用紙に記載されている注意事項に従ってください。

ニ.　答案用紙の解答欄は、A群の問題とB群の問題とでは異なります。所定の解答欄に、試験問題の題数に応じて解答してください。解答欄はA群は50題まで、B群は25題まで解答できるようになっています。

(6)　電子式卓上計算機その他これと同等の機能を有するものは、使用してはいけません。

(7)　携帯電話、スマートフォン、ウェアラブル端末等は、使用してはいけません。

(8)　試験中、質問があるときは、黙って手を挙げてください。ただし、試験問題の内容、漢字の読み方等に関する質問にはお答えできません。

(9)　試験終了時刻前に解答ができあがった場合は、黙って手を挙げて、係員の指示に従ってください。

(10)　試験中に手洗いに立ちたいときは、黙って手を挙げて、係員の指示に従ってください。

(11)　試験終了の合図があったら、筆記用具を置き、係員の指示に従ってください。

［A群（真偽法)］

1　労働安全衛生法関係法令によれば、高さ2m以上の足場(一側足場を除く。)の作業床は、幅を30cm以上とし、床材間のすき間を4cm以下としなければならない。

2　足場の組立てにおいて、建地を建てる作業を地組みという。

3　鋼管足場の脚部には、足場のずれ又は沈下を防止するため、ベース金具、敷板、敷角、根がらみ等を用いて措置する。

4　労働安全衛生法関係法令によれば、火打ちを除く土止め支保工の圧縮材の継手は、突合せ継手としなければならない。

5　中間支持柱を備えた土止め支保工は、切りばりを中間支持柱に溶接する。

6　鉄骨部材を普通ボルト接合する場合に使用するボルトは、ナットを締め終えたときに、ねじ山が3山以上出るものを選定しなければならない。

7　建築基準法関係法令によれば、鉄筋コンクリート造の場合、鉄筋に対するコンクリートのかぶり厚さは、基礎(布基礎の立上り部分を除く。)にあっては、捨コンクリートの部分を除いて6cm以上としなければならない。

8　ころを使用して物体を旋回させるには、支点(回転軸)を中心に進行方向のころを放射状に配置するのがよい。

9　建築物が密集している地域において、鉄筋コンクリート造のひさし又はパラペットを解体する場合には、周辺環境を考慮し、コンクリートカッターやワイヤーソーよりも圧砕機や大型ブレーカーを使用する方がよい。

10　荷をつるワイヤロープのつり角度が大きくなるほど、クレーンにかかる荷重も大きくなる。

11　アイボルトは、ねじ付きのリングで、機械装置や部品などを移動する際に、玉掛けが容易にできるよう取り付けておく用具である。

12　つりクランプは、鋼材や鉄板の玉掛けに使用する用具の一種である。

13　高層建築物の鉄骨建方には、起伏型タワークレーンが多く使用されている。

14　簡易用リフトは、人荷共用のリフトである。

15　矩計《かなばかり》図とは、地盤の位置、床高、軒高、窓高、腰高、天井高などの高さ関係と、外壁及び開口部の納まりを詳細に表現する図のことをいう。

［A群（真偽法）］

16　図A、図B、図Cに同じ力Pでロープを引いたとき、つり上げることができる荷重の比Wa : Wb : Wc は、1 : 2 : 4である。ただし、滑車及びロープの質量はないものとする。

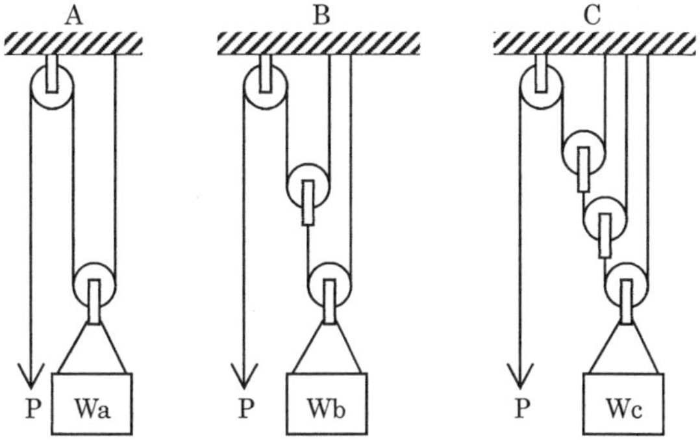

17　足場で使用するブラケットは、持送り枠の一種である。

18　日本産業規格(JIS)によれば、建築工事用シート2類は、シートだけで落下物による危害防止を行うために使用されるものである。

19　巻上げ用ワイヤロープは、一般に、ウインチのドラムの径が大きいほどロープの寿命は短くなる。

20　鋼材は、一般に、炭素の含有量が多いものほど硬い。

21　養生朝顔は、一般に、落下物を防ぐために足場の外部へはね出して設ける養生設備である。

22　鉄骨造は、組積式構造の一つである。

23　建築基準法関係法令によれば、ひさしは、主要構造部に含まれる。

24　つり上げ荷重が1トン以上のクレーンを使用する玉掛けの業務は、玉掛け技能講習修了者であれば行うことができる。

25　労働安全衛生法関係法令によれば、事業者は、高さ又は深さが1.5mを超える箇所で作業を行うときは、原則として、当該作業に従事する労働者が安全に昇降するための設備等を設けなければならない。

［B群（多肢択一法）］

1　単管足場の布の組立てに関する記述として、誤っているものはどれか。

イ　地上第一の布の高さは、2m以下とする。

ロ　布の上下方向の間隔は、1.65m程度とする。

ハ　布の継手は、一直線に揃える。

ニ　布を建地に取り付けるときは、直交型クランプで緊結する。

2　文中の(　　)内に当てはまる数値として、正しいものはどれか。

労働安全衛生法関係法令によれば、架設通路の墜落の危険のある箇所に設けなければならない手すりの高さは、(　　)cm以上とされている。

イ　65

ロ　75

ハ　85

ニ　95

3　掘削工事に関係しない用語はどれか。

イ　地山

ロ　茶玉

ハ　切土

ニ　浮石

4　鉄骨のはりの取付けに関する記述として、正しいものはどれか。

イ　はりをよろい吊りする場合の各はりの間隔は、5～7m程度がよい。

ロ　はりの吊上げ用のクランプには、穴つり式やカム式等がある。

ハ　ガセットタイプの取付けでは、梁のボルトを入れる前に作業者がガセットに馬乗りになって行う。

ニ　はりを吊った玉掛け用ワイヤロープを外すときは、必ずしのを差し込んだままで行う。

5　つり上げ荷重が3トンの小型移動式クレーンを運転して800kgの荷をつり上げる業務に必要な資格証はどれか。

イ　小型移動式クレーン運転技能講習修了証

ロ　巻き上げ機運転特別教育修了証

ハ　小型移動式クレーン運転特別教育修了証

ニ　車両系建設機械運転技能講習修了証

6　文中の(　　)内に当てはまる数値として、最も適切なものはどれか。

コンクリートスラブ10m×5m×0.2mの質量は、約(　　)トンである。

イ　33

ロ　28

ハ　23

ニ　18

［Ｂ群（多肢択一法）］

7　解体工事において発生する廃材のうち、安定型埋立処分場に埋められないものはどれか。
　イ　コンクリートくず
　ロ　プラスチックくず
　ハ　ガラスくず
　ニ　木くず

8　つり足場に使用するつりワイヤロープやつりチェーンとして、使用してもよいものはどれか。
　イ　直径の減少が、公称径の7%を超えたワイヤロープ
　ロ　製造時の長さに対して、伸びが5%を超えたつりチェーン
　ハ　キンクしたワイヤロープ
　ニ　リンクの断面の直径が、製造時より8%減少したつりチェーン

9　玉掛け用具のつり具として、使用できないものはどれか。
　イ　台付け用ワイヤロープ
　ロ　ワイヤもっこ
　ハ　Cフック
　ニ　つりビーム

10　次のうち、移動式クレーンでないものはどれか。
　イ　ホイールクレーン
　ロ　クローラークレーン
　ハ　トラッククレーン
　ニ　門型クレーン

11　施工図に使用される略記号のうち、一般に、基礎を表すものはどれか。
　イ　F
　ロ　G
　ハ　C
　ニ　S

12　ABそれぞれの力の合力を表すCとして、正しいものはどれか。

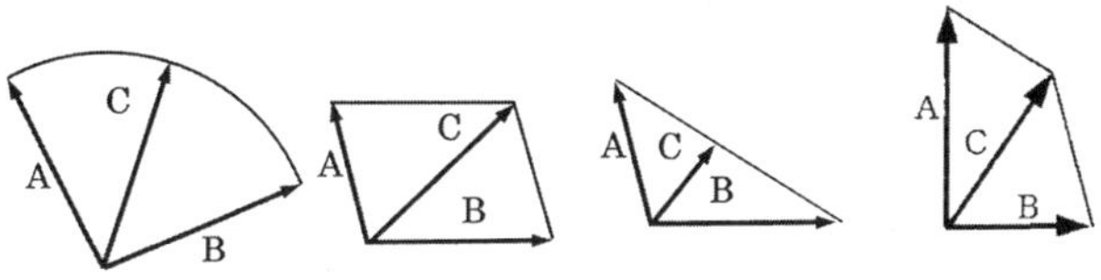

イ　　ロ　　ハ　　ニ

［B群（多肢択一法）］

13　下図に示す部材の名称として、誤っているものはどれか。

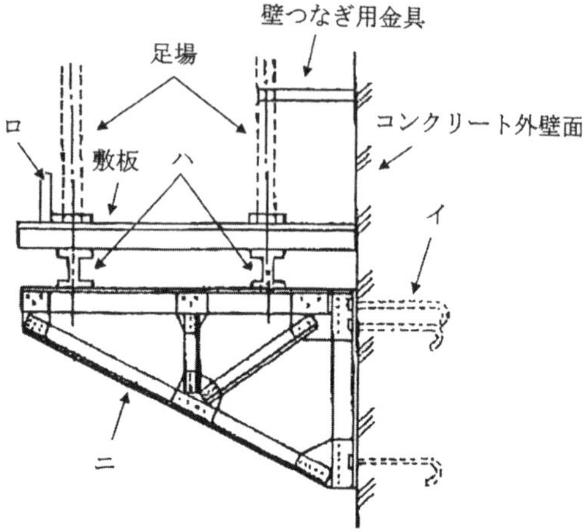

イ　アンカーボルト
ロ　幅木
ハ　根太
ニ　ブラケット

14　型枠の相対するせき板間の間隔を保つために使用する金物はどれか。
イ　セパレータ
ロ　スペーサ
ハ　アンカー
ニ　ターンバックル

15　強度を高めるために折曲げ加工された鋼材はどれか。
イ　デッキプレート
ロ　鋼帯
ハ　棒鋼
ニ　H形鋼

16　一般に、木造住宅の土台に使用されないものはどれか。
イ　ヒノキ
ロ　ケヤキ
ハ　ラワン
ニ　クリ

17　支柱式足場でないものはどれか。
イ　丸太足場
ロ　つりわく足場
ハ　わく組足場
ニ　棚足場

［B群（多肢択一法）］

18　作業構台の目的に関する記述として、適切でないものはどれか。

イ　建物外部に突き出した構造で、クレーン等でつった資材等を一時的に集積することを目的とした仮設の床として使用される。

ロ　鉄骨はりの下部付近に設け、ボルト締め作業等を目的とした仮設の床として使用される。

ハ　ロングスパン工事用エレベーターで揚重した資材等を一時的に取り込むことを目的とした仮設の床として使用される。

ニ　掘削機械やコンクリートミキサー車等の設置又は移動を目的とした仮設の床として使用される。

19　文中の(　　)内に当てはまる語句として、正しいものはどれか。

(　　)構造は、鉄骨の構造形式で骨組の各接点が全てピン接合となっており、一般に、各部材が三角形を構成するような骨組である。

イ　ラーメン

ロ　トラス

ハ　ブレース

ニ　壁式

20　真づか小屋組の真づかにかかる力はどれか。

イ　圧縮

ロ　引張り

ハ　曲げ

ニ　ねじれ

21　建築基準法関係法令に定める不燃材料として、誤っているものはどれか。

イ　れんが

ロ　コンクリート

ハ　パーティクルボード

ニ　ガラス

22　廃棄物の処理及び清掃に関する法律関係法令に関する記述として、適切でないものはどれか。

イ　産業廃棄物とは、事業活動に伴って生じた廃棄物で、建設業に係るものも定められている。

ロ　特別管理産業廃棄物とは、ダイオキシン、PCB(ポリ塩化ビフェニル)、石綿等の有害物質に関連するもので、普通の廃棄物とは別の処理体系が定められている。

ハ　建設業のくい工事により発生した汚泥は、産業廃棄物ではなく建設発生土である。

ニ　建設リサイクル法による届出は、着工の7日前までに発注者又は自主施工者が行う。

［B群（多肢択一法)］

23　文中の(　　)内に当てはまる数値として、正しいものはどれか。

労働安全衛生法関係法令によれば、事業者は、酸素欠乏危険作業に労働者を従事させる場合は、当該作業を行う場所の空気中の酸素の濃度を(　　)%以上に保つように換気しなければならない。

イ　15

ロ　16

ハ　17

ニ　18

24　労働安全衛生法関係法令によれば、作業主任者を選任すべき作業として、該当しないものはどれか。

イ　型枠支保工の組立て又は解体

ロ　高さが5m以上の構造の足場の組立て、解体又は変更

ハ　軒の高さが5m以上の木造建築物の構造部材の組立て

ニ　クレーンの組立て又は解体

25　墜落制止用器具(安全帯)の使用方法として、誤っているものはどれか。

イ　ハーネス型のバックルは、確実に連結して、ロックを確認する。

ロ　胴ベルト型のロープ固定D環の位置は、腰部の側面より前側になるようにする。

ハ　フックは、ロープ固定D環より上部に掛ける。

ニ　ロープは、キンクや摩耗がないものを使用する。

とび

正解表

令和５年度　２級　学科試験正解表
とび（とび作業）

真偽法

番号	1	2	3	4	5
正解	×	○	○	○	○

番号	6	7	8	9	10
正解	×	×	×	○	○

番号	11	12	13	14	15
正解	○	×	×	○	×

番号	16	17	18	19	20
正解	×	×	○	○	○

番号	21	22	23	24	25
正解	×	×	×	○	×

択一法

番号	1	2	3	4	5
正解	ハ	ハ	イ	ロ	イ

番号	6	7	8	9	10
正解	ハ	イ	ニ	ロ	ロ

番号	11	12	13	14	15
正解	ニ	ハ	ロ	イ	ニ

番号	16	17	18	19	20
正解	ハ	イ	ロ	ロ	ハ

番号	21	22	23	24	25
正解	ハ	イ	ニ	ニ	イ

令和４年度　２級　学科試験正解表
とび（とび作業）

真偽法

番号	1	2	3	4	5
正解	×	×	○	×	○

番号	6	7	8	9	10
正解	○	○	×	×	×

番号	11	12	13	14	15
正解	×	○	○	×	○

番号	16	17	18	19	20
正解	×	×	○	×	×

番号	21	22	23	24	25
正解	○	×	○	×	○

択一法

番号	1	2	3	4	5
正解	ロ	ニ	ロ	ニ	ハ

番号	6	7	8	9	10
正解	ニ	ロ	ハ	ニ	ロ

番号	11	12	13	14	15
正解	ハ	ハ	イ	ニ	ロ

番号	16	17	18	19	20
正解	ニ	イ	イ	イ	ロ

番号	21	22	23	24	25
正解	ロ	イ	ハ	ロ	ニ

令和３年度　２級　学科試験正解表
とび（とび作業）

真偽法

番号	1	2	3	4	5
正解	○	×	×	○	○

番号	6	7	8	9	10
正解	×	○	○	○	○

番号	11	12	13	14	15
正解	○	×	○	×	○

番号	16	17	18	19	20
正解	×	×	×	○	○

番号	21	22	23	24	25
正解	○	×	×	×	×

択一法

番号	1	2	3	4	5
正解	ハ	ロ	ロ	ハ	ハ

番号	6	7	8	9	10
正解	ロ	イ	ハ	ロ	イ

番号	11	12	13	14	15
正解	イ	ロ	ニ	ニ	ロ

番号	16	17	18	19	20
正解	イ	ニ	ハ	ハ	イ

番号	21	22	23	24	25
正解	ニ	ハ	ハ	ニ	ハ

令和５年度　１級　学科試験正解表
とび（とび作業）

真偽法

番号	１	２	３	４	５
正解	○	×	○	○	×

番号	６	７	８	９	１０
正解	×	×	○	×	○

番号	１１	１２	１３	１４	１５
正解	×	○	×	○	×

番号	１６	１７	１８	１９	２０
正解	×	○	×	○	○

番号	２１	２２	２３	２４	２５
正解	×	○	○	×	○

択一法

番号	１	２	３	４	５
正解	ニ	イ	イ	ロ	ハ

番号	６	７	８	９	１０
正解	ニ	イ	イ	ハ	ニ

番号	１１	１２	１３	１４	１５
正解	ハ	ロ	ハ	ハ	ロ

番号	１６	１７	１８	１９	２０
正解	イ	ロ	ニ	イ	ニ

番号	２１	２２	２３	２４	２５
正解	ニ	ハ	ハ	ニ	ロ

令和４年度　１級　学科試験正解表
とび（とび作業）

真偽法

番号	１	２	３	４	５
正解	○	○	×	×	×

番号	６	７	８	９	１０
正解	○	○	○	○	○

番号	１１	１２	１３	１４	１５
正解	×	○	○	○	○

番号	１６	１７	１８	１９	２０
正解	×	○	○	×	○

番号	２１	２２	２３	２４	２５
正解	×	○	×	○	○

択一法

番号	１	２	３	４	５
正解	ハ	イ	イ	イ	ハ

番号	６	７	８	９	１０
正解	ロ	ロ	ニ	イ	ロ

番号	１１	１２	１３	１４	１５
正解	ロ	ハ	ロ	ロ	ハ

番号	１６	１７	１８	１９	２０
正解	イ	ハ	ハ	ハ	ロ

番号	２１	２２	２３	２４	２５
正解	ニ	ハ	ニ	ロ	ロ

令和３年度　１級　学科試験正解表
とび（とび作業）

真偽法

番号	1	2	3	4	5
正解	×	×	○	○	×

番号	6	7	8	9	１０
正解	○	○	○	×	×

番号	１１	１２	１３	１４	１５
正解	○	○	○	×	○

番号	１６	１７	１８	１９	２０
正解	○	○	×	×	○

番号	２１	２２	２３	２４	２５
正解	○	×	×	○	○

択一法

番号	1	2	3	4	5
正解	ハ	ハ	ロ	ロ	イ

番号	6	7	8	9	１０
正解	ハ	ニ	ニ	イ	ニ

番号	１１	１２	１３	１４	１５
正解	イ	ロ	ハ	イ	イ

番号	１６	１７	１８	１９	２０
正解	ハ	ロ	ロ	ロ	ロ

番号	２１	２２	２３	２４	２５
正解	ハ	ハ	ニ	ニ	ロ

・本書掲載の試験問題及び解答の内容についてのお問い合わせには、応じられませんのでご了承ください。
・その他についてのお問い合わせは、電話ではお受けしておりません。お問い合わせの場合は、内容、住所、氏名、電話番号、メールアドレス等を明記のうえ、郵送、FAX、メール又はWebフォームにてお送りください。
・試験問題について、都合により一部、編集しているものがあります。

令和3・4・5年度
1・2級 技能検定　試験問題集　91　とび

令和6年4月　初版発行

監　修　中央職業能力開発協会
発　行　一般社団法人 雇用問題研究会
〒103-0002　東京都中央区日本橋馬喰町1-14-5 日本橋Kビル2階
TEL　03-5651-7071(代)　FAX　03-5651-7077
URL　https://www.koyoerc.or.jp
印　刷　株式会社ワイズ
223091

ISBN978-4-87563-690-8 C3000